Rijk worden wil iedereen

RIJK WORDEN WIL IEDEREEN

GOUDEN TIPS VOOR SUCCESVOL ONDERNEMEN

Lillian Too

Bosch & Keuning

Oorspronkelijke titel: How to make your first Million
Oorspronkelijke uitgever: Rider, een imprint van Ebury Press

Vertaling: Lisa Scargo, Hoorn
Omslagontwerp: Karel van Laar, De Bilt

ISBN 90 246 0578 4
NUGI 684

Dit boek is gepubliceerd door Uitgeverij Bosch & Keuning
Postbus 309
3740 AH BAARN

Bosch & Keuning maakt deel uit van Tirion Uitgevers bv

Inhoud

Inleiding

Ik ben mijn carrière niet begonnen met het doel om miljonair te worden. Integendeel. Ik begon net als velen van mijn leeftijdgenoten in een bescheiden leidinggevende functie, pas van de universiteit en erop gebrand mijn eigen kost te verdienen. Ik begon zelfs niet eens in de particuliere sector. Mijn eerste echte baan was bij een overheidsinstelling – MIDA (Malaysian Industrial Development Authority, toen nog bekend als FIDA – Federal Industrial Development Authority). In tegenstelling tot de meeste andere overheidsinstellingen was FIDA echter zeer dynamisch. In de vijf jaar dat ik er werkte, ontmoette ik honderden plaatselijke en buitenlandse zakenmensen, die allemaal graag bedrijven in Maleisië wilden opzetten. Het waren heerlijke, leerzame jaren en ik begon voor het eerst belangstelling te krijgen voor handel en management.

Vele succesvolle ondernemers, magnaten en hoge omes in bedrijven in Maleisië hebben hun sporen bij FIDA verdiend. Ik denk dat ze, net als ik, geïnspireerd werden door de zakenmensen die door de gangen van het kantoor liepen, ideeën voor bedrijven bespraken, vergunningen voor nieuwe fabrieken aanvroegen, geschikte locaties zochten, fabrieken opzetten, startersaftrek en tariefbescherming aanvroegen en in het algemeen gewoon gebruikmaakten van de enorme groeimogelijkheden van het land.

Ik deed er ongeveer tien jaar over om een succesvolle carrière in het bedrijfsleven op te bouwen, en nog eens vijf om zes cijfers te bereiken. Ik nam vrij om een cursus morele herbewapening te doen aan de Harvard Business School, gevolgd door een periode als financieel analiste bij een handelsbank, voordat ik een baan kreeg bij de Hong Leong Group. Hier accepteerde ik een aantal professionele opdrachten, waaronder een overplaatsing naar Hongkong om daar een recent opgekochte bank te runnen – de Grindlays Dao Heng Bank – en belandde midden in de ergste bankcrisis van Hongkong!

Hongkong werd de katalysator voor me. Daar maakte ik de overstap van bedrijfsleidster naar zakenvrouw. Daar richtte ik al mijn energie en al mijn creativiteit op de transactie die me uiteindelijk de vrijheid gaf om mijn eigen dromen te volgen.

Ik gaf mijn veilige baan op en stortte me in de zakenwereld. Toen ik dat deed, was ik optimistisch en vastbesloten, maar ook erg bang. Ik wist dat als ik niet zou slagen, ik niet alleen mijn zuurverdiende kapitaal zou kwijtraken, maar ook mijn zelfvertrouwen. Ik was er echter ook zeker van dat ik zou slagen als ik eraan werkte en vastbesloten bleef. Ik begon dan ook met een enorm en onwankelbaar geloof in mezelf. Kortom, ik snakte naar succes.

U ziet dus dat ik niet zomaar miljonair ben geworden, evenmin als de meeste andere financieel succesvolle mensen. Vele geslaagde ondernemers van nu hebben net als ik enige tijd als bedrijfsleiders gewerkt. Vaak hebben ze veilige en lucratieve loopbanen opgegeven om een ander soort succes in de zakenwereld na te jagen en zijn daarbij rijker geworden dan ze ooit voor mogelijk hielden.

Voor velen van hen, vooral de vrouwen in leidinggevende functies, was het niet makkelijk om met de aanspraken op hun tijd en aandacht om te gaan. Vrouwen hebben meestal niet de luxe om zich doelbewust op succes op het werk te richten. Ze nemen meestal meer huiselijke verantwoordelijkheden op zich en hebben niet dezelfde prioriteiten als mannen. Toch hebben ze dezelfde arbeidsethiek, zijn vaak net zo gedreven en bezitten dezelfde kwaliteiten en halen evenveel bevrediging uit het bereiken van succes als mannen.

De oplossing voor vele vrouwen is om alle talenten, ideeën en mogelijkheden die ze hebben te benutten om een eigen zaak op te bouwen en eigen baas te worden. De belofte van een grotere financiële beloning is slechts een deel van het verhaal. Wat nog aanlokkelijker is aan de beslissing om een eigen zaak op te bouwen is het heerlijke gevoel dat je krijgt als je je eigen tempo bepaalt, je zaak rond je levensstijl opbouwt, flexibele werktijden instelt en vooral echt financieel onafhankelijk wordt.

Maar tot welke sekse u ook behoort, u moet echt willen slagen. Vastberadenheid wekt de energieën en krachten op die nodig zijn om te beginnen en om veerkrachtig te blijven. Zelfvertrouwen en positieve verwachtingen van uzelf zullen u door vele aanvangsmoeilijkheden heen helpen. In wezen begint het proces om miljonair te worden in de geest.

Ik ben ervan overtuigd dat iedereen de capaciteit heeft om te slagen in alles waar hij of zij zijn zinnen op heeft gezet. De twaalf hoofdstukken in dit boek voeren u stap voor stap door de grondbeginselen van hoe je een bedrijf opzet, beginnend met het hoe van oorspronkelijke ideeën en opties en vervolgens met een evaluatie van hun commerciële haalbaarheid.

Als een idee eenmaal is gekozen, is de volgende stap de formulering van een ondernemingsplan, dat vorm en inhoud geeft aan een plan om geld te verdienen. Om te beginnen hebt u moed en overtuiging nodig – cruciale componenten in het proces van geld verdienen. Als u rijk wilt worden, moet u op actie gericht zijn; u moet het initiatief nemen en de gelegenheid aangrijpen. U moet geen uitvluchten zoeken en u niet laten verlammen door twijfel aan uzelf en angst om te mislukken.

In de eerste jaren dat u een bedrijf opbouwt, wemelt het van de problemen. Over het algemeen gaat er van alles mis. U dient dan ook vanaf het begin een succeshouding en -ethiek te ontwikkelen. U kunt de eerste fasen echter makkelijker doorkomen als u weet wat u moet doen en hoe u problemen voor kunt zijn.

Uw kosten in de gaten houden, een simpele boekhouding bijhouden, de marges beheren en de einduitkomst voor ogen houden, zijn vaardigheden die makkelijk te leren zijn. Het is moeilijker om te leren beoordelen, om goede beslissingen te nemen. Dit geldt vooral wanneer er dingen fout gaan, wanneer je geconfronteerd wordt met de onplezierige realiteiten van de zakenwereld – oneerlijkheid, werknemers die niet loyaal zijn, onwelwillende bankiers, bureaucratische regulerende instellingen, onbetrouwbare leveranciers, enzovoort.

Geslaagde zakenmensen leren zeer snel de trivialiteiten uit te ziften. Ze hebben zelden de tijd om kleingeestig te zijn of hun prioriteiten uit het oog te verliezen. Met vasthoudendheid en een duidelijke visie komt alles uiteindelijk wel in orde. De verkopen beginnen te lopen. Er worden procedures ingesteld en op den duur wordt een ritme van succes gecreëerd. Op dat moment beginnen gedachten aan uitbreiding, aan nieuwe richtingen, aan groei aanlokkelijk te worden.

Nu wordt het van het grootste belang om strategisch te denken. Transacties dienen geanalyseerd en onderzocht te worden. Dilemma's die veroorzaakt zijn door tegenstrijdige prioriteiten dienen opgelost te worden. De matig succesvolle ondernemer zal altijd een stadium bereiken waarin hij of zij gedwongen is de balans op te maken van diverse opties en de offers die gebracht moeten worden. Door de dingen goed te overdenken worden de opties duidelijker en wordt het makkelijker om beslissingen te nemen.

De hoofdstukken acht en negen richten zich dan ook op twee tegengestelde opties – de aankoop en de verkoop van een bedrijf. Hierna volgt een heel hoofdstuk over het creëren van waarde. Dit is een belangrijk hoofdstuk, want als u een bepaald niveau van succes bereikt, kan de winst op verschillende manieren worden uitgebuit, en het creëren van waarde is de manier waarop men de sprong maakt om miljonair te worden. Er komt dus meer bij zakendoen kijken dan alleen maar producten maken en verkopen. In het huidige ondernemingsklimaat is waardecreatie het geheim van de smid. Als u dit begrijpt, zult u in staat zijn uw bedrijf in een miljoenenbezit te veranderen.

Hoofdstuk 11 richt zich op het omgaan met veranderingen – de noodzaak voor en de processen en effecten van verandering – terwijl het laatste hoofdstuk het verschil benadrukt tussen het behouden van de miljoenen die u verdient versus de risico's die u nam toen u begon. Kapitaalbehoud en het maximaliseren van winst vertegenwoordigen twee verschillende strategische richtingen, en zodra u geslaagd bent, zodra u iets te verliezen hebt, zal uw idee van en houding tegenover het nemen van risico's veranderen.

Maar tegen die tijd maakt het niet veel uit, omdat u uw miljoenen al verdiend hebt!

Voor degenen die geïnteresseerd zijn in oosterse filosofie, bevatten de aanhangsels enkele onfeilbare feng shui-tips die ongetwijfeld uw succes en dat van uw bedrijf zullen vergroten.

HOOFDSTUK EEN

Ideeën en opties

De naam Mark McCormack zal velen van u niets zeggen. Hij is de oprichter van de bedrijfstak sportmanagement. Hij is de man achter de miljoenen die verdiend zijn door de golfspelers Arnold Palmer en Jack Nicklaus en de tennissters Chris Evert en Martina Navratilova. Hij beschrijft zijn begin aldus:

> In het begin van de jaren 1960 richtte ik een bedrijf op met minder dan duizend gulden aan kapitaal en schonk het leven aan een bedrijfstak – sportmanagement en sportmarketing. Intussen is dat bedrijf uitgegroeid tot de International Management Group (IMG), met kantoren overal ter wereld en verscheidene honderden miljoenen dollars aan jaarlijkse inkomsten.

Een recenter succesverhaal is dat van Bill Gates, oprichter van het enorm succesvolle computersoftwarebedrijf Microsoft, en waarschijnlijk 's werelds jongste en meest succesvolle miljardair. McCormack bouwde een idee uit tot een fenomenale nieuwe bedrijfstak, terwijl Gates munt wist te slaan uit een fantastisch talent. McGormack verkocht een dienst, Gates een product. Beide zijn inspirerende succesverhalen.

Succesvolle bedrijven ontspruiten in de geesten van mensen met creatieve ideeën: een nieuwe manier om iets te maken, een nieuwe manier om iets te verpakken, een nieuwe manier om iets te verkopen, te organiseren... of zelfs een nieuwe manier om iets over te brengen. Ideeën komen uit oneindig veel bronnen voort. Je kunt een succesvol bedrijf opbouwen rond een product, een nieuwe technologie of een dienst.

Beoordeel uw talenten of kennis. Uit een talent voor het bereiden van heerlijke kerrieschotels kan een bedrijf voortkomen dat kerriepoeder vervaardigt of verkoopt. Een muzikaal talent kan leiden tot het opzetten van een gespecialiseerde winkel. Een nieuwe uitvinding kan de kern zijn van een commerciële onderneming. Een uitstekende smaak in kleding kan de inspiratie vormen voor een keten van boetieks. Iemand met organisatietalent kan allerlei bedrijven beginnen, zoals het organiseren en bieden van bewaking of tijdelijk kantoorpersoneel of een koeriersdienst in de binnenstad. Een voorliefde voor bloemen of een talent voor bloemschikken kan leiden tot een bloemenzaak of het leveren van bloemstukken en planten aan kantoren en hotels, of zelfs tot de fabricage van zijden bloemen. De rijkste man van Hongkong, Li Ka Shing, begon zijn zakenimperium met de verkoop van plastic bloemen! Bijna alles kan de oorsprong van een goed idee zijn.

Duidelijk definiëren

Een goede manier om ideeën op te doen is door erover te praten met gelijkgestemde vrienden of familieleden. Dergelijke discussies moeten echter wel doel*gericht* zijn. Dit is de sleutel om uw ideeën voorbij het praatstadium te brengen. U moet uw gedachten ordenen. Denk eerst na over het soort bedrijf dat u wellicht goed zou kunnen runnen. Welke speciale talenten, vaardigheden of contacten hebt u waarmee u de concurrentie aankunt?

Bekijk deze eenvoudige indeling van bedrijven:

- productie – uw eigen product maken om te verkopen;
- detailhandel – een winkel opzetten om producten te verkopen;
- distributie – verkopen en leveren van producten aan detailhandels;
- diensten – het verlenen van een gespecialiseerde dienst aan andere bedrijven.

Elk van deze bedrijfstypen biedt allerlei combinaties met betrekking tot organisatie en structuur. Door gericht te denken kunt u zich op elk ervan concentreren, zodat u de opties die u niet aanspreken of die buiten uw bereik liggen kunt verwerpen.

Nadat u het soort bedrijf dat u wilt beginnen hebt bepaald, dient u zichzelf enkele fundamentele vragen te stellen:

- Hebt u de bekwaamheid/kennis om het bedrijf te leiden?
- Welke speciale vaardigheden/contacten/concurrentievoordelen heeft u?
- Hoeveel gerichte tijd kunt u aan het bedrijf besteden?
- Doet u alles zelf of samen met partners?
- Begint u bij het begin of neemt u een bestaand bedrijf over?
- Voelt u zich tot dusver zeker over de ideeën?
- Is het een zeer concurrerend bedrijf?

Door ideeën op deze manier te overdenken brengt u uw opties nog verder terug. Bovendien worden de ideeën er duidelijker door. Vraag advies aan vrienden als u twijfelt. Als u meer informatie nodig hebt, ga dan met mensen praten die al in de bedrijfstak zitten waarin u zich wilt begeven. Lees veel.

Zorg dat u op de hoogte blijft van nieuwe opstartsituaties. Uw idee kan gebaseerd zijn op een franchising die u verleend is of op een speciaal voordeel dat u hebt vanwege een bijzonder contact. Het idee kan zijn ontstaan door een grote order die u van een plaatselijk of buitenlands bedrijf hebt gekregen of door een unieke kans die u in de schoot is geworpen. Hoe dan ook, de volgende fase is het beoordelen van de commerciële levensvatbaarheid van het idee. Is het praktisch? Is er vraag naar uw product/dienst? En zo niet, kunt u die vraag creëren?

Geld, geld en nog eens geld?

Voordat u zich in een onderneming stort, dient u de fundamentele financiële aspecten serieus te bekijken. U hoeft geen accountant te zijn of gestudeerd te hebben om u door een idee heen te worstelen en het tot cijfers te reduceren. U hebt echter wel gezond verstand nodig, een eerlijke aanpak en een zekere vastberadenheid en veerkracht. Het is handig om een lijstje te maken van de dingen die u dient uit te rekenen.

Denk eraan dat elke cent die uitgegeven wordt uit uw eigen zak komt als u een bedrijf begint. Kosten hebben de vervelende neiging om zich op te hopen en uw kapitaal aan te tasten. Om te bepalen of u dit risico loopt, moet u vanaf het begin de volgende zaken berekenen:

Inkomsten

Waar komen de inkomsten vandaan? Maak een lijstje van *alle* bronnen van inkomsten. Hoe betrouwbaar zijn deze inkomsten? Vergeet niet dat het niet alleen om verkopen gaat. Het gaat om contante verkopen of als er krediet wordt gegeven, het totaal van de verkoop. Van veel handelsondernemingen is het algemeen bekend dat zij moeilijkheden hebben bij het innen. Onbetrouwbare inkomsten kunnen een bedrijf de das om doen, dus pas op voor dit risico. De beste ideeën voor een bedrijf zijn die waar een goede markt voor is en u redelijk zeker van het inkomen kunt zijn. Houd dit in gedachten wanneer u ideeën overdenkt.

Aanloopkosten

Specificeer alle kosten die nodig zijn om te beginnen; kijk dan of u zich dat kunt veroorloven. Reken de huur van het bedrijfspand mee, aanbetalingen op voorzieningen, verbouwingen, het voeren van voorraden (indien van toepassing) en alle andere kosten die specifiek zijn voor uw bedrijf. Vergeet niet dat aanloopkosten bekendstaan als 'verloren' kosten. Als uw bedrijf floreert, kunt u de aanloopkosten afschrijven tegen de inkomsten.

Als uw bedrijf niet slaagt, gaat dit geld grotendeels verloren tenzij u het bedrijf kunt verkopen.

Bedrijfskosten

Wat zijn de voornaamste en de minder belangrijke kosten, de vaste en de variabele kosten als het bedrijf eenmaal is opgestart? Maak u niet druk om boekhoudkundige termen. Maak gewoon een lijst van alle kosten die u kunt bedenken. U kunt gemakkelijk uw boekhouding, secretariaatswerk en andere logistiek aan een accountantsbureau uitbesteden. Concentreer u voorlopig alleen maar op de levensvatbaarheid van het bedrijf door voordat u begint goed te weten hoeveel geld u nodig hebt om al uw kosten het eerste half jaar te dekken. Ja, zo lang kan het vaak duren voordat u geld ziet binnenstromen (tenzij u in de detailhandel zit). Het vergt tijd om een zaak op te bouwen, dus zorg dat u zich voorbereidt op de berekende kosten van ten minste een half jaar. Anders kunt u 'cashflowproblemen' krijgen. Bedrijfskosten kunnen worden onderverdeeld in vaste en variabele kosten. Vaste kosten zijn kosten die u altijd moet betalen, of u nu veel of weinig verkoopt. Variabele kosten zijn afhankelijk van hoeveel u verkoopt.

Als u meer dan één goed idee hebt, kies dan dat waarmee u het meest verzekerd bent van de inkomsten. Bij de laatste analyse is de betrouwbaarheid van inkomsten de belangrijkste factor om te overwegen. U kunt tenslotte alleen maar een bedrijf hebben als het inkomsten kan opleveren. Als u redelijk zeker kunt zijn dat er geld binnenkomt, kunt u doorgaan naar het volgende stadium en gaan kijken wat u met de winstmarges kunt doen. Hierbij komt het ondernemingsplan op de proppen. Zolang u echter nog niet besloten hebt wat voor soort bedrijf u wilt beginnen, moet u goed overdenken hoe succesvol u uw product of dienst kunt verkopen.

Hoofdstuk twee

Uw strategie om geld te verdienen

We leven in een welvarende, spannende en snel veranderende tijd. Nieuwe technologieën ontsluiten nieuwe horizonten voor aspirant-miljonairs. Nog nooit na de Tweede Wereldoorlog zijn de mogelijkheden zo groot geweest of zo opwindend en verlokkelijk. In het eerste hoofdstuk hebben we ons op ideeën geconcentreerd. Nu stel ik voor dat u even rust houdt en om u heen kijkt, naar de nieuwe producten die op de markt zijn gekomen, naar de verbazingwekkende explosie van internetgebruik en technologie, naar de opkomst van elektronische foefjes en e-commerce, naar de ontluikende commerciële activiteit die over de wereld raast. En kijk vooral ook naar de plotselinge opkomst van virtuele bedrijven – bedrijven die letterlijk in de ijle lucht zijn – ergens in de elektronisch overgeseinde wereld van virtuele handel. Dit is slechts een van de vele veranderende dimensies van de hedendaagse wereld.

Als u miljonair wilt worden en financieel succes wilt hebben, moet u aandacht schenken aan deze nieuwe wereld en uzelf er een plaats in veroveren. Zakelijk gezien houdt dit in dat u voor uzelf, uw bedrijf, uw bekwaamheden of uw professionele deskundigheid een plek moet creëren. Uw speciale plek kan uw woonplaats, streek of land bestrijken. Hij kan zelfs wereldwijd zijn. U bepaalt de omvang van uw ambities. Laat hierbij uw rechterhersenhelft de vrije loop. Ik zeg altijd: 'Hoe kunnen je grote dromen uitkomen als je ze niet eens durft te dromen?'

Niets kan u ervan weerhouden een succes te worden, behalve uw eigen geest en uw eigen verlangens. Deze stelling geldt nog sterker nu we het nieuwe millennium zijn ingegaan. Wereldwijde communicatie en internationale marktpenetratie zijn nu met een druk op een computerknop beschikbaar. Er is een verbijsterende expansie van koopkracht. Observeer het, en laat u door uw observaties inspireren om een deel van deze nieuwe overvloed voor uzelf te veroveren. Ondanks dalingen en onderbrekingen in de economische hartslag, verandert de wereld in duizenden nieuwe richtingen. Laat deze nieuwe ontwikkelingen stimulerende mogelijkheden in uw geest opwekken. Stel het niet uit tot morgen. Ga nu onderzoeken wat ik zeg. Laat het miljonairsinstinct in u tot bloei komen.

Positief denken

De volgende stap in uw spannende zoektocht om uzelf rijk te maken is om alle ideeën die aan uw denkende geest zijn ontsproten een stukje verder te voeren. Eerst droomt u, en laat u uw gedachten stromen. Laat uw creativiteit de vrije teugel en noteer al uw ideeën. Onderwerp vervolgens uw ideeën aan de commerciële test. Hiermee onderzoekt u of u een ervan echt tot een winstgevende onderneming kunt transformeren.

De inzet dient hoog te zijn, want het is aan u of u uw tijd en geld erin wilt steken. Wanneer u uw eigen carrière- en bedrijfsstrategie begint te ontwikkelen, staan uw tijd en kapitaal op het spel.

De persoonlijke risico's zullen uw adrenaline doen stromen. Laat u opwinden door uw gedachten. Voel de angst van het nemen van risico's. Overwin uw angsten vervolgens door aan de beloningen te denken, die grenzeloos kunnen zijn. Drijf met de stroom mee!

Begin door zoveel mogelijk kaarten op te stapelen die in uw voordeel zijn. Doe dit door precies in kaart te brengen hoe u van plan bent te beginnen, door de dingen waar u op moet letten en de regelingen die u moet treffen, te bepalen. U moet vaststellen hoeveel kapitaal u nodig hebt (en bezit), hoeveel risico u bereid bent te nemen en hoeveel tijd u wilt steken in de nieuwe strategie die u voor uw toekomst opstelt. Sommige mensen vinden het nuttig om zichzelf een tijdslimiet voor succes te stellen. Ik ook. Meestal verwacht ik binnen anderhalf jaar een of ander echt en positief resultaat te zien. Maar u moet uw eigen tempo bepalen.

Geld verdienen zou een plezierig proces moeten zijn. Sta uzelf nooit toe dit te vergeten. Als u dat wel doet, zullen de hindernissen en problemen die zich onderweg voordoen u dermate deprimeren dat u het gewoon zult opgeven. En succes is niet weggelegd voor degenen die zich makkelijk gewonnen geven.

Succes is weggelegd voor degenen die leren van elke slechte ervaring en elk probleem dat ze tegenkomen. U kunt deze positieve houding alleen volhouden als u echt geniet van wat u doet. Uw geloof in uw doel en in uzelf zal u in moeilijke tijden staande houden.

Een ondernemingsplan opstellen

Plannen is gewoon een kwestie van systematisch denken en je gezonde verstand gebruiken. Zelfs de meest geraffineerde ondernemingsplannen komen uiteindelijk neer op gezond verstand, alleen worden ze in het bedrijfsleven in zakelijke taal verwoord en uitgedrukt in cijfers en gestandaardiseerde financiële arrangementen. Mensen met een opleiding in financiering of management of werkervaring in het bedrijfsleven, zullen deze taal makkelijker spreken. Maar het ontbreken van een dergelijke achtergrond mag u niet weerhouden. Commerciële termen worden al gauw een tweede natuur als u eenmaal op een zakelijke manier gaat denken.

Uw ondernemingsplan dient een uiteenzetting te zijn van de voornaamste activiteiten die u moet ondernemen.

- Maak prognoses van het benodigde aanloopkapitaal, de te verwachten inkomsten en kosten; definieer deze prognoses vervolgens nader. Dit is het moeilijkste, maar het dwingt u zich te beheersen en uw plan op een logische manier te overdenken, waarbij u uw linkerhersenhelft gebruikt.
- Stel uw actieplan op – de volgorde en timing van het werk dat moet worden gedaan.
- Bepaal hoeveel en wat voor soort mankracht u nodig hebt.
- Bepaal streefcijfers voor opbrengsten, verkoopniveaus, kwaliteit, richtlijnen, kosten en alle andere verwante aspecten waarbij prestatie gecontroleerd en gemeten dient te worden.
- Plan de toevloed van werk en specificeer de systemen en procedures die ingevoerd moeten worden.

- Schat in welke voorraden u moet kopen, welke materialen u moet aanschaffen en welke toeleveringsbedrijven u moet gebruiken, en bepaal de bronnen hiervoor.
- Bepaal de fysieke faciliteiten die nodig zijn, zoals fabricage-, verkoop- en kantoorruimte (plus de daarmee samenhangende machines en uitrusting) en maak een lijst van mogelijke locaties/uitvoering van de benodigdheden.
- Breng al het bovenstaande terug tot getallen, om tot een soort financieel budget te komen dat de essentie van uw ondernemingsplan vormt.

Plannen is niet iets dat in een dag kan worden gedaan. Het vereist concentratie en gericht denken. Het combineert al uw ideeën en dwingt u om ze allemaal met elkaar te verbinden, zodat het uiteindelijke resultaat van uw inspanningen een samenhangende blauwdruk wordt. Alleen al het op papier zetten van uw gedachten zal u dingen doen inzien die u in uw aanvankelijke enthousiasme van het ideeënstadium over het hoofd kunt hebben gezien. Het is heerlijk om op daden gericht te zijn, maar de impuls om u ergens in te storten moet altijd worden getemperd door een rationele calculatie van het financiële aspect.

Wanneer u over het bovenstaande hebt nagedacht, ontspant u zich en bekijkt u of u niets bent vergeten. Er is geen onfeilbaar recept om het plannen van een bedrijf aan te pakken, en evenmin om rijk te worden.

Elke commerciële onderneming is anders en elke ondernemer is uniek. Pas uw planning dus aan aan uw werkstijl, uw zonderlinge eigenschappen en uw geloofssystemen. Laat uw plan om uzelf draaien en voor u werken. Sta enige mate van flexibiliteit toe; erken de mogelijkheid dat problemen met de tenuitvoerbrenging u kunnen dwingen uw oorspronkelijke plannen te veranderen.

Bij planning moet altijd rekening worden gehouden met onzekere factoren en onvoorziene problemen, die bijna altijd geld kosten. Aangezien het onmogelijk is om alles te voorzien, moet u voorbereid zijn op onaangename verrassingen en een bedrag voor onvoorziene uitgaven opzijzetten dat grofweg neerkomt op 10-15 procent van het totaal benodigde oprichtingskapitaal. Dit extra spaarpotje zou van pas kunnen komen.

Wanneer u klaar bent om uw ondernemingsplan af te ronden, moet het de volgende zaken bevatten:

- een tijdschema en een paar in getallen uitgedrukte financiële doelen, te weten inkomsten uit verkoop en winst;
- een actieplan van de in getallen uitgedrukte kosten en kapitaalinvesteringen;
- een analyse van de risico's.

Uw ondernemingsplan dient u over een periode van één jaar het volgende te vertellen:

- hoeveel inkomsten uit verkoop u kunt genereren en innen;
- wat voor gemiddelde brutowinstmarge u hoopt te krijgen;
- wat uw totale maandelijkse en jaarlijkse kosten zullen zijn;
- hoe u het oprichtingskapitaal besteedt (of investeert);
- hoe hoog uw maandelijkse productiekosten en kosten van goederen (werkkapitaal) zullen zijn.

Risico's analyseren

Uw ondernemingsplan zal uw aandacht richten op de fundamentele aspecten van het opzetten van een bedrijf. Maar om de risicogebieden te benadrukken – wat er fout kan gaan en hoe dit in contant geld vertaald wordt – is verdere analyse vereist.

Inkomsten uit verkoop

U moet er goed over nadenken hoe u uw producten of diensten op de markt wilt brengen en verkopen. Wat en waar is uw markt; wie zijn uw klanten? Is het nodig om krediet te geven? Moet u het risico van oninbare vorderingen op u nemen? Zo ja, kunt u dan het risico verminderen en hoe? Als u besluit geen krediet te geven, hoe groot is dan de invloed daarvan op uw verkopen? En als u uw voorraad niet kunt verkopen, hoezeer is deze dan aan bederf onderhevig? Sieraden kunnen in waarde stijgen, maar levensmiddelen zijn bederfelijk en hebben een korte houdbaarheidsperiode, terwijl kleding uit de mode raakt.

Brutowinstmarge

Analyseer dit onderdeel grondig. We noemen het *bruto* omdat in dit getal uw kosten nog niet zijn verwerkt. Het verwijst slechts naar het verschil tussen de verkoopprijs en de kosten van het product. Als een jurk bijvoorbeeld voor *f* 725 wordt verkocht en u *f* 310 heeft gekost, is uw brutowinstmarge per jurk *f* 415 of 57 procent van de verkoopprijs. Sommige bedrijven hebben een grotere brutowinstmarge dan anderen.

Houd altijd in gedachten dat de brutowinstmarge niet hetzelfde is als de prijsverhoging. Om een brutowinstmarge van 57 procent te krijgen, is de prijsverhoging maal 2,3; dat wil zeggen dat u uw product 2,3 maal zo hoog hebt geprijsd als wat het u gekost heeft, ofwel om het te maken, of om het van iemand anders te kopen. Hieruit kunt u zien dat u door het analyseren van uw brutowinstmarge in feite een prijsstrategie uitwerkt – en uw verkoopsucces is afhankelijk van deze strategie. Bij het uitstippelen van een strategie, dient u de concurrentie in overweging te nemen, evenals uw eigen productiekosten en overheadkosten. De brutowinstmarge dient deze uiteraard te dekken – dus de verkoopprijs moet hoog genoeg zijn. Anders maakt uw bedrijf geen winst. Aan de andere kant moet u uzelf niet uit de markt prijzen.

Bij franchise en groothandel van merkproducten staat de kleinhandelsprijs meestal vast en is er weinig bewegingsruimte. Vele boetieks die luxe merkproducten verkopen moeten zeer hoog prijzen vanwege het lage verkoopniveau, zodat er zelfs als ze hoge kortingen geven een hoge brutowinstmarge is om de hoge bedrijfskosten te dekken. Denk goed over de winstmarges na. Ze gaan tot de kern van een bedrijf en zijn datgene wat de ene onderneming van de andere onderscheidt. Artikelen/zaken met een lage brutowinstmarge dienen te worden gecompenseerd met een grote omzet, zodat de totale verkoopinkomsten voldoende zijn om de bedrijfskosten te dekken en toch nog winst te maken. Dit is de grondgedachte voor de meeste massaverkoopbedrijven zoals supermarkten en warenhuizen.

Bedrijfskosten

Dit zijn *alle* kosten die een bedrijf maakt – huur, lonen, kantoorkosten, uitrusting, reclame, drukwerk, transport, reiskosten, eerstehulpuitrusting, rente op leningen, enzovoort. De lijst is eigenlijk veel langer, en het is aan u of u hem verder wilt opdelen en categoriseren, maar wat u moet onthouden over bedrijfskosten is dat uw brutowinstmarge deze kosten ruimschoots moet dekken, omdat u anders verlies zou lijden. Vergeet echter niet dat de meeste feitelijke kosten gewoonlijk hoger zijn dan begrote kosten, dus houd een marge van 10 procent aan. Denk er ook om dat de kosten elk jaar stijgen met ten minste het inflatiepercentage, zelfs als u niet uitbreidt.

Kapitaalinvestering

Dit verwijst naar de hoeveelheid kapitaal die u in het bedrijf dient te steken. Het wordt berekend door al uw kosten te begroten die niet tot de bedrijfskosten behoren, zoals aanbetalingen op het gehuurde pand en voorzieningen, de kosten van voorraden/inventaris en alle andere kosten die het opzetten van het bedrijf met zich meebrengen – de aankoop van een kantoorinventaris, transportfaciliteiten enzovoorts.

Bedrijfskapitaal

Het is raadzaam om uw begrote bedrijfskosten voor ten minste zes maanden als bedrijfskapitaal opzij te leggen. Pas als u regelmatig elke maand inkomsten begint te incasseren kan het bedrijf als zelffinancierend worden beschouwd.

Als u het bovenstaande zorgvuldig doorneemt, wordt het eenvoudig om tot bepaalde conclusies te komen over hoe praktisch en degelijk uw oorspronkelijke bedrijfsidee was. Als de cijfers er niet goed uitzien, onderzoek dan opnieuw de basis van de diverse veronderstellingen waarmee u deze cijfers hebt samengesteld.

Het is makkelijk om u mee te laten slepen en gigantische verkoopinkomsten te voorspellen. Onthoud dat de hoogte van de inkomsten uit verkoop die u kunt behalen voor een groot deel afhangt van hoe groot u uw bedrijf wilt hebben. Dit heeft te maken met de capaciteit van uw bedrijf. Begin eerst klein en beperk uw financiële risico's, want als u begint, weet u nog niet genoeg over het bedrijf om met de risico's, die ermee gepaard gaan, om te gaan.

Zorg dat u er eerst meer over te weten komt, zodat u weet hoe u de risico's kunt verminderen alvorens de zaken groter aan te gaan pakken. Vrijwel alle selfmade miljonairs gaan uiterst voorzichtig met hun aanvankelijke financiële risico's om. Pas als ze het bedrijf waarin ze werken, begrijpen en minstens 60 procent van de kneepjes van het vak kennen, staan ze zichzelf toe te groeien en uit te breiden.

Wat dit allemaal inhoudt in commerciële termen is dat ze hun cashflow goed in de gaten houden. Simpel gezegd betekent dit dat ze zuinig moeten zijn met geld en ervoor moeten zorgen dat ze niet kwetsbaar worden door geldgebrek.

HOOFDSTUK DRIE

Beginnen

Laten we wat Tao-wijsheid lenen van Lao-Tse, de oude wijze uit China:

> Begin aan moeilijke dingen wanneer ze makkelijk zijn. Doe grote dingen wanneer ze klein zijn. De moeilijke dingen in de wereld moeten eens klein zijn geweest. Een reis van duizend kilometer begint met de eerste stap.

Rijk worden begint met beginnen. Beginnen vereist moed en zelfvertrouwen. Nu u uw cijfers en strategie hebt uitgewerkt, hebt u alle reden om zeker te zijn, omdat u over alle dingen die u moet doen al hebt nagedacht. Beginnen betekent ook dat u sommige dingen moet afsluiten. Misschien moet u een baan opzeggen, zich losmaken uit een bestaande omstandigheid en, het allermoeilijkste, enkele oude gewoontes en uw levensstijl veranderen.

Veranderingen als deze kunnen traumatisch zijn, maar hoe moeilijk het is om met verandering om te gaan, ligt geheel aan u. Er zullen zeker goedbedoelende mensen om u heen zijn die u aan het twijfelen kunnen brengen en u de moed kunnen doen verliezen. Zet deze mensen aan de kant, althans tot u goed op weg bent. Blijf trouw aan degenen die u steunen, die het beste in u naar boven halen. Als het enige troost biedt, denk dan bij uzelf: er is niets verkeerds aan mislukken; het is alleen maar goed om het te proberen en ik heb meer dan vijftig procent kans om te slagen, dus ik ga ervoor.

Een situatie kan zich plotseling door sommige gebeurtenissen ontwikkelen, zodat het makkelijker wordt om de sprong te wagen. U kunt bijvoorbeeld ontslagen worden of gepasseerd worden voor een promotie of het afleggen in een of andere belachelijke strijd op kantoor. Tegenslag en een negatieve situatie brengen vaak een hartstochtelijke boosheid naar buiten, die in een nieuwe, gunstige richting kan worden gekanaliseerd.

Als u er klaar voor bent om uw eerste miljoen te gaan verdienen, is het nu de tijd om u op praktische zaken te richten en te beginnen.

Fondsen organiseren

Dit is een van de eerste dingen die u moet doen. U kunt uw zaak op verscheidene manieren financieren:

- geheel uit uw eigen spaargeld;
- met een lening van uw echtgenoot/vader/broer/neef/vriend/tante;
- door een rijke partner, bijvoorbeeld een vriend of klasgenoot, deel te laten nemen;
- starterskrediet aan te vragen;
- een lening bij een bank af te sluiten, of
- door een mengeling van het bovenstaande, in diverse combinaties.

Het bijeenbrengen van het aanloopkapitaal is uw eerste transactie, en transacties sluiten is waar het om draait in het bedrijfsleven. Afhankelijk van vele factoren kan het moeilijk of makkelijk zijn.

Als u al eerder hebt gewerkt en geloofwaardigheid hebt opgebouwd of kunt aantonen dat u met succes verwante bedrijven hebt gerund als werknemer, zal het uiteraard makkelijker zijn om banken en andere financiële instellingen over te halen u een lening te verstrekken. Wees bereid om uw begrotingen en ondernemingsplan te bespreken/uiteen te zetten, en zorg dat ze netjes uitgetypt zijn en er professioneel en indrukwekkend uitzien.

De meeste banken zijn echter tamelijk conservatief en kunnen u vragen activa of bezit te tonen om uw aanvraag van een lening te ondersteunen. Dit kan een tweede hypotheek op uw huis zijn of een persoonlijke garantie van iemand met een goed kredietrapport die in u gelooft, of een stuk grond dat u geërfd hebt of enkele jaren geleden hebt gekocht.

Wees niet ontmoedigd als u in uw gesprekken met banken en financieringsbedrijven met pompeuze of hooghartige directeuren te maken krijgt. Luister aandachtig naar hun opmerkingen en reacties, en ook naar de redenen die ze voor een eventuele weigering geven. Leer hiervan. Spreek met verscheidene banken. Wanneer u begint, moet u een dikke huid hebben en u niet afgewezen of onbekwaam gaan voelen door teleurstellingen of weigeringen. In zaken is niets persoonlijk. Wees dus niet te gevoelig. In feite zou u moeten overwegen om in het begin van uw jacht op zakelijk succes gesprekken met moeilijke mensen te hebben om ermee om te leren gaan. U zou ze als waardevol moeten beschouwen omdat ze u de gelegenheid geven om geduld te oefenen (wellicht een van de voornaamste pluspunten in zowel zaken als in het leven). Zorg alleen dat u zich niet laat ontmoedigen door domme bureaucratie of boos wordt over ambtenarij.

Gewoonlijk is uw kans op succes slechts 50/50, tenzij het u lukt geld los te krijgen van een fonds dat speciaal is opgezet om nieuwe ondernemingen te financieren. Het kan echter geen kwaad om het te proberen, omdat u er veel van kunt leren. Het kan u een goed beeld geven van hoe aanvaardbaar u en uw bedrijfsplannen voor de bank zijn, zodat u bepaalde aspecten van uw plan opnieuw gaat overdenken.

Banken zijn berucht om hun onbereidwilligheid tegenover nieuwe ondernemingen. Toen ik in het bankwezen zat, zeiden we vaak voor de grap dat we alleen geld zouden lenen aan mensen die niet echt hoefden te lenen, dat we schijnvrienden waren en alleen maar aardig tegen je deden als je al succes had. Dit is niet geheel onwaar.

Probeer in geen geval een bankier 'om te kopen' om u geld te lenen. Wat het resultaat ook moge zijn, houd altijd communicatielijnen open met nieuwe bankiersvrienden. Misschien moet u weer met dezelfde mensen praten wanneer u verkoopcijfers kunt tonen. Dan zouden ze wel eens behulpzamer kunnen zijn.

Ga intussen terug naar uw cijfers. Bereken hoeveel u tekortkomt en kijk of u uw schattingen realistisch kunt verlagen. Wees bereid uw eigen fondsen/spaargeld te gebruiken om te beginnen. Als u echt veel tekortkomt, moet u serieus overwegen een partner of investeerder in de onderneming te betrekken.

Als het u lukt een lening te sluiten, zorg dan dat deze hoog genoeg is (samen met uw eigen middelen) om de kosten van een jaar te dekken. Besef dat er verschillende soorten leningen zijn – huurkoop om auto's/vrachtwagens te financieren, leasing voor het aanschaffen van kantoor-, fabrieks- of andere benodigdheden.

U kunt ook uw uitstaande facturen verkopen om een bedrijf te financieren. Dit noemt men factoring. En u kunt een handelsfinanciering regelen om voorraden te financieren.

Onthoud dat leveranciers meestal tussen de zestig en negentig dagen krediet geven op voorraad. Dit noemt men handelskrediet, en hoewel het in de eerste maanden moeilijk te krijgen is, kunt u erover onderhandelen als u eenmaal als betrouwbaar wordt gezien. Aan de andere kant vereisen huur en voorzieningen borg en vooruitbetaling, hetgeen een tot drie maanden kan bestrijken.

Cashflow

Houd vanaf het begin uw cash-flow nauwlettend in de gaten. Maak er een gewoonte van. Denk eraan dat cashflow *geen* winst is. Cashflow is het beheren van de contanten die binnenkomen en uitgaan.

Binnenkomende contanten bestaan aanvankelijk uit aandelenkapitaal en financiering door de bank. Wanneer het bedrijf gaat lopen zult u een extra bron van contanten hebben, uw 'contanten uit verkoop'. Nog later, wanneer uw bedrijf zich begint te ontwikkelen, kunt u ook contanten krijgen uit verkregen interest. Uitgaande gelden zijn kapitaalinvesteringen (kopen van inventaris), bedrijfskosten (huur, lonen enzovoort) en inkoop van voorraden en materialen.

Dit is uiteraard een zeer simpele uitleg van cashflow, maar voor het moment moet het volstaan. Het van het begin af aan in de gaten houden van de cashflow is een van de beste gewoontes die een ondernemer kan ontwikkelen, omdat het ervoor zorgt dat een zeer cruciaal aspect van het leiden van een bedrijf bewust wordt gecontroleerd.

Enkele administratieve bijzonderheden

Ik adviseer bevriende ondernemers altijd om een vennootschap met beperkte aansprakelijkheid op te richten of te kopen. Dit beschermt u door de schulden die uw bedrijf zich op de hals haalt te beperken tot de hoeveelheid volgestort kapitaal (behalve voor bank- en andere persoonlijke garanties). Het is verstandig om deze strategie te volgen.

Houd uw volgestort kapitaal ook redelijk klein. De meeste openbare bedrijven hebben slechts heel weinig volgestort kapitaal wanneer ze hun dochterondernemingen opzetten, en verhogen het slechts als dat nodig is. Dat kunt u ook doen. Bovendien kunt u altijd geld aan het bedrijf 'voorschieten' en dit behandelen als een lening van een directeur (een lening van u aan het bedrijf). Oefen uzelf om het bedrijf als een op zichzelf staande entiteit te zien die losstaat van u.

Het laag houden van het volgestort kapitaal kan u ook belastingvoordelen opleveren, waarover later meer. Ga met een accountant praten over het opzetten van uw bedrijf. Kies een middelgroot accountantskantoor dat goed bekendstaat. Laat hen voor de boekhouding, de structurering van het bedrijf, alle nodige directiebesluiten voor het openen van bankrekeningen en andere wettelijke verplichtingen zorgen. De vergoedingen die ze vragen zijn meestal redelijk en de meeste verlenen uitstekende service. Bouw een relatie op met degene die uw zaken behartigt. Denk erom dat uw accountants u later ook uitstekend kunnen adviseren wanneer uw bedrijf groter wordt.

Serieus beginnen

Begin zo snel mogelijk met het echte werk.

Als u mensen in dienst moet nemen, doe dat dan alleen wanneer u ze echt nodig hebt, en neem dan de beste mensen die u kunt vinden en die u zich kunt veroorloven. Efficiënte werknemers zijn goud waard. Betaal hun iets meer dan gebruikelijk of bied hun een prestatiepremie, zoals commissie of een bonus. Zoek van het begin af aan mensen die het niet erg vinden om voor ondernemers te werken. Het is meestal een goed idee om iemand in dienst te nemen die u al kent, iemand met wie u al eerder hebt samengewerkt. Dat maakt het leven een stuk makkelijker. Toen ik mijn warenhuis in Hongkong 'kocht', nam ik veel van mijn vroegere werknemers aan, onder wie beide secretaresses uit mijn tijd in het bankwezen. De een werd mijn personeelschef en de ander mijn modecoördinator. Ik haalde zelfs de vroegere bedrijfsleider van mijn boetiek uit Kuala Lumpur om mijn verkoopadviseur te worden. Ik heb hier nooit spijt van gehad. Ze bleken allen loyale en betrouwbare sleutelfiguren te zijn binnen mijn beleidsteam.

Het is beslist een groot voordeel als je de mensen die voor je werken kunt vertrouwen en op hen kunt bouwen.

Zorg dat uw bedrijfspand zo snel mogelijk gereed is. Snelheid is altijd van het grootste belang, omdat tijd werkelijk geld is. Huren gaan gelijk in als u ondertekend hebt. Dus begin zodra u kunt, en richt u op de hoofdtaken waarvoor gezorgd dient te worden. Deze zijn verschillend per bedrijf. U weet intussen wel welke de uwe zijn. Het belangrijkste is dat u probeert zo snel mogelijk inkomsten te genereren (verkopen te sluiten).

Ja, er is een zekere urgentie aan verbonden. Er zal van alles misgaan. Dat is normaal. De stroom kan uitvallen. De telefoons worden misschien niet op tijd aangesloten. Uw leverancier kan verstek laten gaan. De geweldige assistente die u hebt ingehuurd kan van gedachten zijn veranderd zodat ze niet komt opdagen. Intussen is uw man/vrouw misschien lastig, begint uw zoon in bed te plassen en heeft uw werkster opgezegd! Laat u door al deze dingen niet hinderen. Geloof mij maar, uiteindelijk komt het allemaal goed als u de problemen systematisch aanpakt en het hoofd koel houdt. Pak zowel uw aanloopmoeilijkheden als uw huiselijke problemen aan, maar denk erom dat u zich niet zo laat overweldigen door alle ergernissen dat u het belangrijkste vergeet, of erger nog, dat u bezwijkt onder de druk die op u wordt uitgeoefend om uw tijd en aandacht.

Doe op de zaak al het voorwerk voor de verkoop en marketing. Breng de bal aan het rollen. Wanneer u alle vervelende alledaagse zaken afhandelt die nodig zijn om een zaak op te zetten, krijgt u het al gauw onder de knie. Voor u het weet hebt u een dagelijks ritme ingesteld dat zowel uw nieuwe verantwoordelijkheden als uw huiselijke taken omvat. Zorg er echter wel voor dat u een groot deel van uw tijd besteedt aan het werven van klanten, want als u de verkopen hebt, als u het inkomen kunt genereren en als er schot in komt, is uw zaak uitstekend begonnen.

HOOFDSTUK VIER

Het opzetten en begeleiden

Er zijn vele knappe definities van wat iemand tot een ondernemer maakt. Ze zijn beschreven als mensen die zakelijke visies omzetten in zakelijke realiteiten, als vernieuwers die vraag opwekken, als makers van markten, als scheppers van kapitaal, als ontwikkelaars van mogelijkheden en als producenten van nieuwe technologie.

Geslaagde ondernemers worden gedreven door de kracht van hun visie en vastberadenheid. Ze overwinnen niet alleen doordat ze een bestaande situatie in al zijn complexiteit begrijpen, maar ook doordat ze orde uit wanorde weten te scheppen. Dit doen ze door een oneindige verscheidenheid van moeilijke situaties aan te pakken – bijna altijd tot een mate waarin hun geloof in zichzelf en hun visie groter is dan hun kennis op welk moment dan ook. Met andere woorden, als u uw bedrijf bent begonnen en nu bezig bent uw zaakjes op orde te brengen, moet u niet verbaasd of ontmoedigd raken wanneer u beslissingen moet nemen over dingen waar u nog niet vertrouwd mee bent.

Neem maar van mij aan dat het leiden van een bedrijf, welk bedrijf dan ook, een samenstel van vaardigheden, deskundigheid en kennis vereist dat niet direct beschikbaar is bij het begin van de onderneming. Dit is een universele ervaring van alle ondernemers, managers en zakenlieden. U zult vele onderling samenhangende vaardigheden gaandeweg opdoen. Laat u dus nooit weerhouden door gebrek aan kennis. Als u informatie nodig hebt, zorg dan gewoon dat u die krijgt.

Instellingen voor succes

Voordat u zich bezig gaat houden met de kritieke gebieden die uw aandacht vragen bij het opbouwen van een bedrijf, is het nuttig om eerst bepaalde specifieke opvattingen te cultiveren en aan te nemen die uw leerproces versnellen, zodat de zekerheid van succes enorm wordt uitgebreid. Houd in gedachten dat zakelijk succes, evenals alle andere menselijke inspanningen, een vastbesloten streven naar perfectie vereist. Mensen die veel presteren weten dat perfectionisme geen pose is maar een instelling.

Ikzelf ben hier ook van overtuigd. Ik heb in de loop der jaren veel tijd en moeite besteed aan de ontwikkeling van wat ik 'winnende opvattingen' noem. Dit zijn opvattingen die uitwerking hebben op de manier waarop ik leer, werk, een probleem benader, waarop mijn denkprocessen een situatie analyseren, waarop ik op mensen reageer, waarop ik dingen beoordeel en waarop ik beslissingen neem. Ik heb acht van deze succesopvattingen vastgesteld die volgens mij van onschatbare waarde zijn voor een ieder die veel wil bereiken. Hier komen ze:

- Wees actiegericht in plaats van reactiegericht, dus neem zelf het initiatief in plaats van altijd op situaties te reageren.
- Zorg dat u situaties beheerst zodat u dingen kunt laten gebeuren in plaats van af te wachten tot ze gebeuren. Wacht nooit tot er druk op u uitgeoefend wordt, maar oefen zelf druk uit.

- Begin alles wat u doet met uw doel in gedachten en verlies dit doel nooit uit het oog. Laat uw dagelijkse routines de uiteindelijke doelen niet versluieren.
- Richt u op het oplossen van problemen in plaats van op het aanwijzen van een schuldige. Dit houdt in dat u uw tijd niet verdoet met het uitzoeken wiens schuld het is als er iets misgaat, maar dat u zich richt op wat er gedaan moet worden om het probleem te verhelpen.
- Verlies in uw omgang met anderen hun belangen niet geheel uit het oog. Probeer nooit alle voordelen, alle winsten, alle marges in de wacht te slepen zodat er voor de ander niets overblijft.
- Neem de moeite om dingen vanuit het perspectief van de ander te bekijken. Als u hier niet bewust een gewoonte van maakt, kan het makkelijk gebeuren dat u steeds zelfingenomener wordt in uw interacties met anderen, en in tegenstelling tot wat u wellicht denkt, zal dit uw kans op succes op de lange termijn schaden. Vergeet niet dat mensen een lang geheugen hebben, en dat goodwill goodwill voortbrengt. In het bedrijfsleven heeft u heel wat goodwill nodig.
- Werk met anderen samen in plaats van alleen. Op die manier kunt u bouwen op gezamenlijke krachten en zwakheden compenseren door diverse vaardigheden bijeen te brengen om een groter geheel te vormen. Zo wordt twee plus twee geen vier, maar vijf of zes of zeven.
- Sta altijd open voor nieuwe dingen en nieuwe kennis, zodat onverwachte dingen u van nut kunnen zijn. Het kan feng shui zijn of een of andere esoterische New Age-manier om uw kansen op succes te versterken. Wat het ook is, blijf openstaan voor alles wat er op u af kan komen.

De ontwikkeling van succesopvattingen vereist geloof en toewijding. Ontwikkel ze pas als u er goed over hebt nagedacht en overtuigd bent van hun nut. Anders zal het moeilijk zijn om te leven met hun doordringende aanwezigheid in uw leven. Het verlangen om een winnende houding aan te nemen moet van binnenuit komen.

Een positieve houding helpt u te winnen en zorgt ervoor dat u zichzelf nooit saboteert. Probeer dus altijd zo positief mogelijk te zijn. Dit wil zeggen, positief in uw verwachtingen, in uw reacties op situaties en mensen, in de manier waarop u met stress omgaat, in zo ongeveer alles. Een positieve houding zorgt ervoor dat u alles als bereikbaar ziet. Het stelt u in staat de zonnige kant te zien van elke slechte situatie, zodat u de kracht hebt om door te gaan. Wanneer u uw pogingen om uw bedrijf op te bouwen in forse streken van positieve vibraties en verwachtingen schildert, zal alles mogelijk worden. In de loop der tijd maakt deze benadering het opbouwproces minder zwaar en een stuk plezieriger.

Beleidsstrategie

Dan komen we nu bij wat ik altijd als de essentie van zakendoen beschouw. Het heeft te maken met het leiden van uw bedrijf, uw staf, het omgaan met uw problemen en het beheren van uw geld.

Om te leiden dient u doelen te stellen, te plannen en de vooruitgang bij te houden. U dient alle grondtaken uit te voeren, de dagelijkse routineklusjes, en daarnaast met crisissituaties om te gaan die zich zo verbazend regelmatig voordoen dat ik ze ook al als routine ben gaan beschouwen.

Als u leert het hoofd koel te houden, zult u effectiever leiding kunnen geven.

Personeelsbeleid

Dit heeft te maken met duidelijk zijn als u opdrachten geeft, zeker zijn als u verantwoordelijkheden delegeert en verstandig zijn bij het motiveren van uw personeel. De beste werknemers zijn degenen die grondig begrijpen wat ze precies moeten doen. Het helpt ook als ze begrijpen wat de gevolgen van ondoelmatigheid en ontoereikendheid zijn. Als baas moet ú uw werknemers hier zo goed mogelijk van zien te doordringen. Breng stap voor stap het beste in hen naar buiten. Ook zij moeten leren. En prijs ze af en toe of moedig ze aan. In mijn ervaring kan een beetje lof, een beetje positieve waardering aanzienlijk bijdragen aan de motivatie van mensen. Ook het aanmoedigen van feedback leidt tot oprechte loyaliteit.

De groei volgen

Dit vraagt om een praktische benadering. In het begin zult u waarschijnlijk alles zelf moeten doen, wat op zich niet zo slecht is. Zo leert u de ware aard van de processen en problemen kennen die het leiden van uw bedrijf in al zijn aspecten met zich meebrengt. Er is geen handboek of opleiding die u alles kan leren – u leert gaandeweg. Hierdoor blijft u ook alert.

De sleutelfactoren van succes bepalen

Het vermogen om dit te doen komt vanzelf wanneer u echt betrokken raakt bij uw bedrijf. Trek elke week wat tijd uit om na te denken over uw werkdag en hoe u élk karwei dat u ter hand neemt kunt verbeteren – in de verkoop, de distributie, de marketing, het productieproces, de administratie, de indeling van uw winkel of kantoor. Als u zich op één aspect tegelijk richt zullen de belangrijke terreinen zonder veel moeite naar voren komen. Vertrouw op uw instinct. Vertrouw op uw gezonde verstand. Wees nooit bang om constant verbetering te brengen in de manier waarop u met de diverse aspecten van het leiden van uw bedrijf omgaat.

De boekhouding

U móet een boekhouding bijhouden. Veel mensen vinden dit erg saai, maar de boekhouding vertegenwoordigt in meerdere opzichten de kern van een bedrijf. Stel vanaf het begin een eenvoudige maar efficiënte manier in om de inkomsten en uitgaven te overzien. U hoeft niet te weten hoe u een inkomstenstaat of een balans opstelt (hoewel het niet echt moeilijk is om dit te leren), maar u moet wel begrijpen waaruit deze staten zijn opgebouwd, zodat u weet welke cijfers het belangrijkste zijn. Kijk uit dat u geen mentale blokkering voor getallen krijgt. Neem het in uw dagelijkse routine op om de cijfers te bekijken. Op het laatst zullen ze geen geheimen meer voor u hebben.

Zet controlesystemen op (zie blz. 61-62) om alles in de gaten te houden wat met de geldstroom in uw bedrijf te maken heeft. Als u iets verkoopt, ontvangt u inkomsten die moeten worden vastgelegd, en als u iets voor uw bedrijf koopt, doet u een uitgave. Ook deze moet worden vastgelegd. Alles moet worden bijgehouden.

Dit is van belang om:

- uw bedrijf, uw cashflow en uw winst in de gaten te houden;
- voorzorgsmaatregelen te nemen, zodat u niet wordt bedrogen door uw staf, uw leveranciers of iemand anders met wie u zaken doet;
- aan het eind van een periode (een maand, een kwartaal of een jaar) de winst of het verlies dat uw bedrijf maakt te kunnen analyseren. Dit is van het grootste belang om uw rentabiliteit te verbeteren of uit te breiden. Wat nog belangrijker is, is dat het u waardevolle gegevens verschaft, die vervolgens verwerkt kunnen worden in boekhoudkundige staten om bankiers en leveranciers ervan te overtuigen dat u een groeiend, bonafide bedrijf hebt dat professioneel wordt geleid;
- uw belastingaangifte te doen.

Ik wil nogmaals benadrukken dat u niet ontmoedigd moet raken als u nog niet vloeiend kunt converseren in de taal van het bedrijfsleven of de balans. Wat belangrijk is, is dat u uw bedrijf op een winstgevende manier kunt leiden. Laat het maar aan deskundigen over om de cijfers in financiële staten te vertalen, maar registreer wel elke transactie. Zet een systeem op om dit van het begin af aan te doen.

Kosten bekijken

Controleer de wekelijkse en maandelijkse staten. Bepaal hoe gedetailleerd u uw uitgaven wilt categoriseren. Analyseer vervolgens de aard van uw uitgaven. Heeft u er controle over? Zijn het vaste of variabele kosten van maand tot maand? Is er sprake van verspilling? Vallen de kosten binnen uw budget?

Het innen

Dit is van essentieel belang voor het bedrijf. Als u krediet geeft, houd dan in de gaten wie niet vlot zijn met betalen. Behoed u voor oninbare vorderingen. Een nieuw bedrijf kan het zich niet veroorloven om oninbare vorderingen te hebben en de meeste bedrijven houden bij hoe lang het duurt voordat debiteuren betalen. Mijn advies voor nieuwe bedrijven is om helemaal geen krediet te geven, althans niet voordat uw bedrijf goed loopt en u uw klanten terdege kent.

De marges

Dit heeft te maken met prijzen en rentabiliteit. Het is de kern van een bedrijf. Grotere marges betekenen hogere winsten, maar ook hogere prijzen voor uw producten waardoor u niet meer concurrerend zou kunnen zijn. Economiestudenten leren over prijselasticiteit – hoe gevoelig uw verkopen zijn ten opzichte van uw prijsniveaus. Dit is iets wat u zelf zult moeten bepalen. Het is een zakelijke beslissing die gebaseerd moet zijn op uw eigen inschatting. Het omgaan met marges kan essentieel zijn voor het slagen of mislukken van uw bedrijf – en u moet echt alle cijfers in uw hoofd hebben. Wees bereid flexibel te zijn, maar niet zodanig dat u strategische overwegingen die met consequentheid te maken hebben totaal opoffert.

Het resultaat in de gaten houden

Dit komt voort uit verkopen, verkoopmarges en kosten. Het resultaat is altijd uw rentabiliteit, niet uw cashflow. Het resultaat wordt door vele dingen beïnvloed, maar de voornaamste hebben te maken met:

- de kwaliteit van uw zakelijke beslissingen – hoeveel u moet produceren, hoeveel u moet inkopen, hoeveel voorraad u moet hebben, hoe u uw goederen moet prijzen;
- efficiëntie – hoeveel het u kost om uw product te maken of te kopen, hoe goed u het verkoopt, hoe snel u het distribueert en de kwaliteit van uw service.

Wanneer u uw bedrijf opzet, kunnen en zullen er vele dingen misgaan. Het volgende hoofdstuk onderzoekt enkele veel voorkomende problemen van de aanloopfase en bespreekt risicogebieden, knelpunten, cashflowproblemen en onverwachte moeilijkheden.

Hoofdstuk vijf

Taai zijn als het tegenzit

Er wordt altijd gezegd dat de weg naar voorspoed een zware klim is; dat geld verdienen een weg is vol hobbels en kuilen; dat succes je nooit aan komt waaien; dat er offers voor nodig zijn, vastberadenheid en veerkracht; dat dingen bijna altijd misgaan en soms zo lang mis blijven gaan dat zelfs de grootste doorzetters zich gewonnen geven. Is dit een eerlijke beschrijving? Veroorzaakt het najagen van rijkdom maagzweren, hoofdpijnen en echtscheidingen? Is het echt zo moeilijk? Om eerlijk te zijn, ja, het is allemaal waar. Dat komt omdat bijna alles wat mis kan gaan in zaken vaak ook werkelijk misgaat. Maar dat geldt ook voor het leven in het algemeen. Wat belangrijk is, is hoe u reageert wanneer er iets misgaat.

Het verschil tussen degenen die het wél maken en degenen die het níet maken is de manier waarop ze op moeilijkheden reageren. Succesvolle mensen pakken hun problemen aan zonder in paniek te raken of hun kalmte te verliezen. Succesvolle mensen leren van elk dagelijks probleem en beschouwen elke moeilijke beslissing als een leerzame situatie. En als het echt zwaar wordt, komen de keiharden op dreef en treden hun zee van moeilijkheden zelfverzekerd tegemoet,.

Wat kan er dan misgaan? Simpel gezegd: vrijwel alles! Tegen de tijd dat u de expansiefase van uw nieuwe onderneming hebt bereikt, zult u wel hebben geleerd hoe u met dagelijkse irritaties om moet gaan die te maken hebben met inefficiëntie, administratieve vertragingen, communicatiestoornissen en dergelijke. Maar wanneer deze kleine irritaties verergeren en het voortbestaan van uw bedrijf bedreigen, begint u pas echt de druk te voelen. Op dat moment wordt u gedwongen de schone schijn te laten varen en enkele moeilijke beslissingen te nemen en hard op te treden.

Hoe kunt u zich hier vanaf het begin tegen wapenen?

Hoe kunt u het lot gunstig stemmen en uw kansen vergroten om enorme problemen te doorstaan? Het antwoord is dat u de dingen die mis kunnen gaan vóór moet zijn. Het is noodzakelijk dat u op alles bent voorbereid.

Er zijn algemene problemen waarmee elk beginnend bedrijf te maken kan krijgen. Hieronder bespreek ik er enkele waar u alert op moet zijn. Als u vanaf het eerste begin let op dingen die verkeerd kunnen gaan, bent u voorbereid. Dit heeft twee belangrijke gevolgen. Ten eerste blijven de problemen klein en heeft u er controle over, en ten tweede staat u psychologisch sterk omdat u de verrassingsfactor hebt teruggebracht.

Problemen met oneerlijkheid

Deze kunnen vele vormen aannemen en kunnen worden begaan door uw staf, door familieleden die voor u werken of door een compagnon. Belastingfraude, te hoge rekeningen, valse facturen, ondermaatse producten geleverd krijgen en zelfs direct misbruik van uw fondsen door chequefraudeurs zijn slechts enkele voorbeelden.

Ik kan hier niet alle manieren opsommen waarop een bedrijf

bestolen kan worden door zijn compagnons en personeel. Ik kan u wel zeggen dat het voortdurend gebeurt, zowel in grote als kleine bedrijven. Om die reden hebben bedrijven interne accountants en soms uitgebreide controlesystemen, die managers in staat stellen onjuiste cijfers en verdraaide documentatie op te sporen.

De werkwijzen van kleine zwendelaars (er is werkelijk geen ander woord om oneerlijke mensen te beschrijven) variëren van simpele dingen als het vervalsen van rekeningen en facturen tot ernstiger zaken als het vervalsen van uw handtekening op cheques. Het klinkt ongelooflijk, maar ik ken vele gevallen waarin dit is gebeurd. In mijn eigen carrière heb ik personeelsleden betrapt die de kas lichter maakten en heb ik leveranciers het hoofd moeten bieden die de bedrijven die ik leidde probeerden op te lichten.

In vele gevallen kan men geneigd zijn kleine misstappen en onbelangrijke verschillen te tolereren. Vergeet echter niet dat oplichters brutaler worden als ze zien dat u van niets weet en hun oneerlijkheid ongestraft blijft.

Om u te hoeden voor oneerlijkheid kunt u het beste de verleiding verminderen, of nog beter, geheel wegnemen. Dit doet u als volgt:

- zet vanaf het begin goede controlesystemen op;
- controleer persoonlijk de facturen en betalingen van rekeningen;
- laat het tekenen van cheques niet te snel aan anderen over;
- houd dagelijks toezicht op de inkomende en uitgaande bedragen.

In de beginstadia van een bedrijf kunt u het bovenstaande allemaal zelf doen. Als u deze taken te vroeg delegeert, kunt u problemen krijgen. Vertrouw uw werknemers, maar laat dit vertrouwen pas na verloop van tijd totaal zijn. En controleer altijd de cijfers, op zijn minst een keer per week. Houd aan het eind van elke maand tijd vrij om de boeken te analyseren.

Als u met oneerlijkheid te maken krijgt, negeer het dan niet omdat het onbelangrijk lijkt. Ga de confrontatie aan en geef een ferme waarschuwing.

Problemen door geringe verkopen

Als u in de eerste maanden met dit soort problemen kampt, kan dat ernstig zijn omdat geringe verkopen lage inkomsten betekenen, zodat uw kosten uw startkapitaal opslokken.

Een lage omzet kan door een of meerdere van de volgende factoren worden veroorzaakt:

- Misschien interpreteert u de markt verkeerd en is er te weinig vraag naar uw soort diensten of uw product.
- Uw marketing is ondeugdelijk. Dit kan te wijten zijn aan slechte verkooptechniek, onvoldoende reclame, slechte distributie, onvoldoende tweede marketingbezoeken, misschien zelfs een marketingstrategie die niet aansluit op de markt zelf.
- Uw locatie is een probleem.

Wat de oorzaak van uw geringe omzet ook moge zijn, analyseer uw methoden en uw strategie opnieuw. Ik heb genoeg succesvolle verbeteringen gezien om me ervan te overtuigen dat er altijd een markt kan worden gevonden of gecreëerd als men in zijn product gelooft. Stel vast wat uw probleem is, bepaal het knelpunt, houd uw doel voor ogen en ga door.

Als u extra kosten moet maken voor een extra of betere verkoper of als u geld moet besteden aan reclame, denk er dan eerst goed over na. Als u eenmaal een besluit hebt genomen, breng het dan resoluut ten uitvoer.

Als u echt niet weet wat er mis is, moet u hulp inschakelen. Vraag anderen om raad. Kijk wat uw concurrenten goed doen. Streef ze na als dat nodig is en probeer dan op een efficiëntere manier te doen wat nodig is. Doe anderen echter niet blindelings na. Ze kunnen een concurrentievoordeel hebben dat u niet hebt.

Geef ook niet te snel op. Vaak zijn de eerste maanden van een bedrijf het moeilijkst. Soms hebt u misschien gewoon een doorbraak nodig. Zo ja, werk daar dan aan. Als na verscheidene maanden het probleem van onvoldoende verkopen aanhoudt, kijk dan nog eens goed naar de kwaliteit van uw product. Misschien mankeert er echt wel iets aan. Blijf openstaan.

Wat het ook is, neem stappen om te zorgen dat u niet met verouderde of slechte voorraden zit opgescheept. Verwijder ze, desnoods met verlies. Op die manier krijgt u tenminste een deel van uw voorraadkosten terug en beschermt u zich tegen het maken van verdere opslagkosten. Ruim de voorraad op en begin opnieuw. Hopelijk hebt u er wat van geleerd.

Cashflowproblemen

Dit is een eufemisme voor een tekort aan contanten. Als het geld opraakt, hebt u een ernstig probleem waar u dringend iets aan moet doen. Dit gebeurt meestal als uw bedrijf onvoldoende gefinancierd is, of als uw oorspronkelijke begrotingen van inkomsten en kosten niet uitkomen zoals u verwacht had.

Cashflowproblemen eisen een zware tol van de veerkracht van de ondernemer. Ze veroorzaken voor alles ernstige zorgen en leiden er vaak toe dat mensen het opgeven.

Geldproblemen vreten als een kankergezwel aan iemands zelfvertrouwen. Maar zo hoeft het niet te zijn. Er is bijna altijd wel een uitweg. Neem maar van mij aan dat bijna elke grote tycoon die ik ken ooit eens met een cashflowprobleem te maken heeft gehad.

Bekijk uw bedrijf opnieuw. Hoe loopt het? Als het goed gaat, als het geldgebrek wordt veroorzaakt door een snellere groei dan verwacht werd, hebt u een grote kans het probleem te overwinnen. U hebt beslist meer kapitaal nodig, of meer schuld.

Probeer extra fondsen binnen te halen. Neem indien nodig een partner. Leen geld als dat nodig is. Reorganiseer tegelijkertijd uw financiële regelingen. Ga met uw bank praten. Er kunnen financieringsmogelijkheden zijn die u nog niet kent. In het huidige ondernemingsklimaat zijn banken en andere financiële instellingen nogal agressief geworden in het selecteren van veelbelovende ondernemers. Praat met verscheidene van hen voordat u besluit welke uw bedrijf op lange termijn zal steunen, want dat is de instelling waarmee u in zee moet gaan. Zoals er mooiweervrienden zijn, zijn er ook mooiweerbankiers, die u laten vallen bij het eerste teken van moeilijkheden. Daar heeft u niets aan.

Als uw cashflowprobleem wordt veroorzaakt door hogere kosten dan u verwacht had, moet u elke uitgave eerlijk analyseren. Probeer minder extravagant te zijn. Als u dat niet kunt, reken uw begrotingen dan nog eens na om te zien of uw begrote inkomstenniveaus haalbaar zijn en of uw winstmarges verbeterd kunnen worden om de hogere kosten te dekken. Door het maken van een dergelijke analyse zult u al gauw de gewoonte aannemen om de belangrijkste financiële aspecten van uw bedrijf te controleren.

Onverwachte problemen

Deze zijn het ergste. Een voorbeeld zou zijn dat u er op een dag achterkomt dat u aan het werk bent zonder de benodigde vergunning – en dat u hier streng op wordt gewezen door een van de toezichthoudende autoriteiten. Als dit u overkomt, ga dan persoonlijk naar de betreffende instantie en leg uw probleem uit. Als u een boete moet betalen, doet u dat. Verlies uw kalmte niet. Maak van de gelegenheid gebruik om ambtenaren op de betreffende afdeling te leren kennen, want ze kunnen u nuttig advies geven.

Er komen ook onverwachte problemen naar boven als iemand u voor het gerecht daagt. Raak niet in paniek als dit gebeurt, maar zorg dat u een goede advocaat krijgt en dat u een vijandige houding vermijdt. De meeste conflicten kunnen vaak bij een kop koffie worden opgelost als u een verzoenende houding aanneemt in plaats van het probleem op te blazen.

Als er veranderingen zijn in wetgeving, belastingen en tarieven die in nieuwe budgetvoorstellen vervat zijn, kan dat ook problemen geven. Nog erger is het als er een nieuw product op de markt komt waardoor uw product in één klap verouderd is. Ik heb gehoord over ondernemers in de computerbranche die computerterminals insloegen die bijna onmiddellijk uit de tijd raakten, en van boetieks die merknamen voerden die passé werden zodra er andere nieuwe ontwerpers op het toneel verschenen.

Om deze redenen móet u zich op de hoogte houden van veranderingen en ontwikkelingen in het economische klimaat en het bedrijfsleven. Woon seminars bij en lees de handelsbladen, de dagbladen en vakbladen. Kennis van verandering en nieuwe ontwikkelingen geeft u een voorsprong en versterkt uw vermogen om soepel van koers te veranderen als dat nodig mocht zijn.

Uiteindelijk heeft het omgaan met groeipijnen te maken met uw vermogen om vervelende situaties uit te pluizen. Het helpt als u bewust het vermogen ontwikkelt om u niet druk te maken om de kleine dagelijkse ergernissen maar toch uw ogen openhoudt voor ernstiger problemen, die tot crisissituaties zouden kunnen leiden. Een goed onderscheidingsvermogen vergt oefening en tijd en u zult gerust fouten maken – wees echter niet te hard voor uzelf. Houd in gedachten dat problemen nooit echt helemaal verdwijnen. Er duiken altijd weer nieuwe op. De vaardigheid om een bedrijf op te bouwen ligt in het stoïcijns kunnen blijven en boven de moeilijkheden kunnen staan als het misgaat. En u moet niet bang zijn om niets te doen. Ik heb gemerkt dat dit vaak de beste oplossing kan zijn voor een probleem waarvan u niet weet hoe u het aan moet pakken. Laat de tijd maar met oplossingen komen.

Hoofdstuk zes

Met beide benen op de grond blijven

Nadat u de eerste voorzichtige stappen hebt gezet en de moeilijke maanden of jaren van de beginfase bent doorgekomen, zal het beter gaan. U zult merken dat de omzet begint te stijgen. De cijfers leren u dat er werkelijk vraag is naar uw product of dienst en dat u goed zit. Misschien wordt u wel het succesverhaal van het volgende decennium.

Wanneer u deze fase ingaat van uw langetermijnplan om miljonair te worden en de vruchten begint te plukken van uw inspanningen, zult u de spanning gaan voelen omdat u weet dat u op de goede weg bent. Maar als u succes nastreeft, moet u wel met beide benen op de grond blijven staan, zelfs als u in een opwaartse spiraal zit.

Natuurlijk mag u van uw succes genieten. Succes geeft een soort kick waar weinig tegenop kan – de kick van iets bereikt te hebben, wanneer u de belofte begint te zien van een glorieuze toekomst. In dit stadium kan het zelfs goed zijn om wat tijd vrij te maken om van dit moment te genieten. Laat uw ervaring van goede resultaten een tijdje in uw bewustzijn voortleven. Geniet van uw triomf, zodat u in slechtere tijden iets hebt om kracht uit te putten.

Als u nadenkt over uw succes, kunt u ook stilstaan bij waar u bent en waar u naartoe gaat. Vraag u af wat hierna moet gebeuren.

Wissel ideeën met anderen uit die zich in een soortgelijke positie bevinden. Onderzoek de indrukken en strategieën van anderen. Leg contacten en ontwikkel een basis voor toekomstige netwerken. Het leerproces stopt nooit. We kunnen altijd iets van anderen leren. Vergeet dit niet op uw moment van triomf. Degenen die een dergelijke ontvankelijke denkrichting ontwikkelen hebben de grootste kans succesvol te blijven.

De verkoopcijfers analyseren

Voor sommigen van u zijn de cijfers misschien nog steeds onzeker. Voor anderen zijn ze wellicht opwindend. Het is belangrijk dat u begrijpt dat er een duidelijk opwaartse trend moet zijn voordat u kunt concluderen dat de verkopen echt beginnen te lopen. In een grafiek moet de lijn gedurende verscheidene maanden omhooggaan; het is zelfs nog beter als hij het hele jaar blijft stijgen!

Maar voordat u te enthousiast wordt, moet u de aard van de verkoopstijging analyseren. Zijn de verkopen gestegen door een speciale order? Zijn ze vol te houden? Is een stijging te danken aan een speciale promotie of marketingstrategie? Krijgt u steeds meer nabestellingen van tevreden klanten?

Het is net zo belangrijk om de redenen van verbeterde prestaties te begrijpen als die van dalingen of mislukkingen – soms zelfs belangrijker, omdat het uw zelfvertrouwen versterkt en u aanspoort het positieve effect op uw bedrijf te intensiveren. Als u weet wat u goed doet, is het niet moeilijk om het te herhalen.

NIEUWE RICHTINGEN

Als de verkopen beginnen toe te nemen, zult u aan uitbreiding en nieuwe richtingen gaan denken. Wees voorzichtig. Laat uw inzicht nooit vertroebelen door aanvankelijk succes. Hoed u voor impulsieve expansie – door uw voorraden te vergroten, extra personeel aan te nemen, door uw productielijnen uit te breiden of door extra vestigingen te openen. Blijf de cijfers in de gaten houden en let vooral op de verhouding tussen risico en beloning, op inkomsten die in verhouding staan tot de extra investeringen.

Het wordt nu ook tijd om strategisch te gaan denken (zie hoofdstuk 7). Het is belangrijk waar u zich bevindt in het leerproces. Als u zich nog niet voor 100 procent op uw gemak voelt met uw bedrijf, kunt u de gedachte aan uitbreiding maar beter nog een paar maanden uitstellen.

Strategisch denken vereist een gedisciplineerde analyse, niet alleen van uw eigen bedrijf, maar ook van de concurrentie, de bedrijfstak waarin u werkt en het algemene handelsklimaat. U moet het een en ander hebben geleerd van de problemen waarmee u te maken hebt gekregen. U moet specifieke manieren onderzoeken om nog efficiënter te worden, ofwel door de productiviteit te verhogen, of door verspilling tegen te gaan en onnodige kosten te verminderen.

EFFICIËNTIE VERBETEREN

De efficiëntie kan altijd verbeterd worden. U hebt vooruitgang geboekt doordat u deskundigheid en ervaring hebt verworven die nodig zijn om uw bedrijf te runnen. Nu moet u aan strategieën gaan werken om de winst te vergroten. Wees niet te snel tevreden. Er is nog genoeg te doen.

Een dergelijke aanpak – het doelbewust nastreven van perfectie – zal een goede voorbereiding zijn op wat u later te wachten staat, als de getallen groter worden en de omvang van uw operatie toeneemt. Naarmate u meer mensen in dienst neemt en in het domein van strategische besluitvorming en serieus management komt, zal de gewoonte om steeds te verbeteren u helpen om het soort spectaculaire stappen vooruit te zetten die nodig zijn om u naar het magische niveau van zes cijfers te stuwen.

De aanpak van ondernemers in de beginjaren, toen het vooruitzicht verband hield met overlevingsstrategieën, moet langzaam worden omgevormd tot een meer gedisciplineerde, georganiseerde en op management gerichte benadering. U zult moeten delegeren en op anderen vertrouwen. Dit vereist onderscheidingsvermogen. Uw rol zal veranderen van die van ondernemer naar die van baas – met alle implicaties en verantwoordelijkheden van dien.

Managementvaardigheden ontwikkelen

U moet praktische managementvaardigheden gaan ontwikkelen. Tegelijkertijd dient u commercieel te blijven denken. Uw uiteindelijke doel is niet veranderd. Alle overwegingen van de aanloopfase – omzetsnelheid, winstmarges, cashflowbeheer, controlesystemen en dergelijke – blijven even belangrijk. Vergeet nooit dat bij het runnen van elk bedrijf de commerciële implicaties van elke beslissing zorgvuldig moeten worden afgewogen.

U dient kennis over management te verwerven. Dit heeft te

maken met de manier waarop uw bedrijf en het personeel georganiseerd zijn, de manier waarop controlesystemen worden toegepast, de manier waarop u kanalen opzet om de resultaten regelmatig te controleren en de manier waarop u een informatiesysteemstroom binnen uw organisatie ontwerpt. Wanneer uw verkoopcijfers stijgen, moet u zorgen dat alle facetten van informatie die betrekking hebben op uw bedrijf dagelijks naar u toe blijven komen. Dit houdt in dat u een geautomatiseerd informatiesysteem moet opzetten. De laatste jaren zijn specialisten in de informatietechniek bijzonder in trek. Ze kunnen een groot verschil betekenen voor de winstgevendheid van een bedrijf, omdat het gemak waarmee computers toegang tot informatie binnen een organisatie geven de besluitvorming enorm kan verbeteren.

Informatiesystemen

Informatie ligt ten grondslag aan alle besluitvorming. U kunt alleen goede of efficiënte beslissingen nemen wanneer u over alle informatie beschikt die binnen uw bedrijf wordt voortgebracht. Hoe zet u dus een goed informatiesysteem in uw bedrijf op?

Begin met het bepalen van alle belangrijke financiële aspecten die u regelmatig moet controleren. Zet vervolgens een systeem op van de vereiste regelmatige rapporten van sleutelpersonen in uw staf. Hier volgt een sterk vereenvoudigd lijstje van werkgebieden die gecontroleerd moeten worden:

- verkoopcijfers;
- voorraden;
- vorderingen;
- winstmarges;
- bedrijfskosten en kapitaaluitgaven.

Deze lijst is niet volledig. U kunt hem gebruiken om specifieke rapportindelingen te maken die uw staf regelmatig in moet vullen om dagelijks, wekelijks of maandelijks aan u voor te leggen.

De informatiestroom zou moeten uitbreiden naarmate u vertrouwder raakt met het proces en de dingen die u wilt controleren toenemen. Zorg dat alle informatie die u nodig hebt naar u toekomt en zorg ook dat u deze informatie leest en analyseert. Of u nu ondernemer bent of in dienst bent van een bedrijf, u moet regelmatig alle managementrapporten en financiële statistieken lezen. Doe ze niet af als papierwinkel of tijdverspilling. Nauwkeurige en tijdige informatie is essentieel om succes te boeken.

Houd regelmatig bijeenkomsten – bij voorkeur maandelijks – om de resultaten van elke maand met uw staf te bespreken. Dit is het managementproces. Hierbij wordt gediscussieerd, gebrainstormd en er wordt nagedacht over hoe de prestaties voor de volgende maand verbeterd kunnen worden.

Houd de rapporten te allen tijde simpel en de vergaderingen kort en zonder franje. Als u echter uitbreidt, zullen de rapporten en vergaderingen complexer worden naarmate verfijndere analyses nodig worden. Rapporten dienen ratioanalyses te bevatten, maandelijkse vergelijkingen, redenen voor gerapporteerde toenamen/afnamen enzovoort. In deze tijd van geautomatiseerde informatiesystemen moet u niet verbaasd staan over de omvang van statistische gegevens die gegenereerd kunnen worden (zoveel dat ik me vaak afvraag hoeveel ervan echt worden gelezen). Maar als u aan de winnende hand wilt blijven, als ondernemer of als bedrijfsleider, moet u uw huiswerk maken. Lees altijd uw management- en verkooprapporten.

CONTROLESYSTEMEN

De controlesystemen van een bedrijf zijn verwant aan informatiesystemen. Dit zijn de specifieke controlepunten die u inbouwt op de kwetsbare plekken van het commerciële proces van een bedrijf. Controlesystemen hebben te maken met het registreren van transacties, toezicht houden en het afbakenen van gezagsgebieden. Bijvoorbeeld, alle inkopen en verkopen van het bedrijf moeten geregistreerd, gecontroleerd en gerechtvaardigd worden. Alle inkomsten en uitgaven moeten gespecificeerd en gecontroleerd worden. Controlesystemen zorgen ervoor dat het geld van een bedrijf – zijn contanten, zijn inkomsten en zijn uitgaven – goed gecontroleerd en geregistreerd wordt.

Eenvoudige controlesystemen zijn eenvoudig op te zetten. Aanvankelijk gaat het er alleen maar om dat meer dan één persoon zijn handtekening moet zetten om producten te bestellen of betalingen te fiatteren, en om te zorgen dat een van de vereiste handtekeningen de uwe is. Andere voorbeelden zijn dat facturen in tweevoud of drievoud worden opgemaakt en dat de hoofden van de relevante afdelingen binnen uw organisatie een exemplaar krijgen, en een systeem waarbij alle betalingsbewijzen worden gefiatteerd door daartoe aangesteld personeel. Deze maatregelen beschermen tegen oneerlijkheid en inefficiëntie.

Controlesystemen bepalen de richtlijnen voor de manier waarop een bedrijf werkt. Alle bedrijven hebben deze richtlijnen. Hoe uitgebreid en ingewikkeld ze zijn is van vele factoren afhankelijk, variërend van de stijl van het beleid tot de aard van het bedrijf. Sommige bedrijven zijn makkelijker dan andere, en sommige bazen zijn pietluttiger dan andere.

U zult moeten beslissen hoe streng u de diverse aspecten van de managementfunctie binnen uw bedrijf wilt controleren. Controlesystemen kunnen erg strak en streng zijn en voor elke uitgave uw goedkeuring vereisen, of heel makkelijk – soms zelfs zozeer dat iedereen alles kan bestellen wat hij wil op kosten van het bedrijf! Uiteraard ligt het ideaal ergens tussen deze uitersten in.

Computers

Computers zijn essentieel in het moderne bedrijfsleven. Wanneer u serieus gaat nadenken over systemen en de noodzaak van goede rapporten en goede controle groeit, dan is het altijd verstandig om in goede softwareprogramma's te investeren en goede computers te gebruiken om op de hoogte te blijven. Bedrijven die ik ken die vanaf het begin in goede computersystemen en softwarepakketten hebben geïnvesteerd, hebben nooit spijt gekregen van die investering. Ze beseffen dat het voordeel dat een computer hun geeft door op de hoogte te blijven van genomen beslissingen, van betaalprofielen van klanten, van productiviteitsniveaus van werknemers enzovoort, een belangrijk verschil heeft gemaakt voor hun succes.

Een goede vriendin van me begon een videotheek. Toen ze twee jaar geleden startte, vroeg ze zich af of ze in een computersysteem zou investeren om de uitleningen, klantprofielen, voorraden, achterstallige betalingen en dergelijke bij te houden. Na rijp beraad koos ze voor de computer. Sindsdien is haar bedrijf uitgegroeid tot drie bloeiende zaken. De omzet bereikte het niveau van een miljoen dollar vlak voordat ze haar derde zaak opende. Toen ze pas begon had ze nooit verwacht zo snel te zullen groeien. Ze is weg van haar computer en kan niet meer zonder.

Groei

Voordat we dit hoofdstuk besluiten, wil ik nog iets over groei zeggen.

Als uw bedrijf begint te groeien, laat het proces dan natuurlijk zijn. Laat groei gedreven worden door vraag. Blijf behoudend bij het nemen van risico's, maar wees niet bang om er enkele te nemen, vooral als u de bedragen die ermee gepaard gaan zorgvuldig hebt berekend. Reserveer geld voor groei, maar blijf slank.

Pomp winsten terug in het bedrijf. Blijf van uw collega's leren en verbreed uw kring van zakenrelaties. Het wordt nu tijd om een stevige basis te leggen voor de tweede fase van uw bedrijf, wanneer uitbreiding of spreiding een natuurlijke strategie wordt. U doet het niet voor de lol, maar omdat het de logische volgende stap is.

Als u dit stadium bereikt, zal uw energie gericht zijn op de vraag hoe u het beste verder kunt gaan, niet of u wel verder moet gaan. In het volgende hoofdstuk nemen we enkele groeistrategieën onder de loep en kijken naar risicoanalyse, en onderzoeken ook de componenten van strategische stellingname en expansie.

Hoofdstuk zeven

Strategisch denken

U komt nu op een ander niveau terecht, waar strategische positionering belangrijk wordt. Er dienen managementvaardigheden te worden ontwikkeld en de besluitvorming wordt complexer. De kern van zakelijk succes is het vermogen om beter te presteren, betere resultaten te leveren, beter leiding te geven – dan uw concurrenten.

Om echt vooruit te komen moet de vastberaden ondernemer consequent superieure prestaties laten zien. U wordt door niemand beoordeeld. U beoordeelt uzelf. Misschien heeft uw zaak al een comfortabel stadium bereikt met benijdenswaardig hoge verkoopcijfers en hebt u een prettige dagelijkse routine gevonden. Maar het kan nog beter. U kunt groeien. U kunt uitbreiden.

Hier gaat het om als je miljonair wilt worden – dat je de ambitie hebt om op de volgende sport van de ladder te stappen en je op een nieuw niveau te begeven. Om de sprong te maken moet u strategisch gaan denken.

De vijf basisconcepten

Om strategisch te kunnen denken moet u vijf kritieke basisconcepten beheersen:

Toewijzing van middelen

Uw contanten, uw kapitaal, uw staf en uw contacten zijn uw middelen. U moet bepalen wat de meest efficiënte en economische manier is om ze maximaal in uw voordeel te benutten.

Concurrentievoordeel

Wat doet u beter dan anderen? Welke speciale vaardigheid, speciale kennis, welk speciaal voordeel hebben u en uw bedrijf dat u in uw voordeel kunt laten werken zodat u een voorsprong hebt op uw concurrenten? Als u hierover nadenkt moet u in staat zijn te bepalen wie uw concurrenten precies zijn. Vergeet niet dat concurrentievoordeel te maken heeft met slimme en effectieve marktpositionering. U kunt dit alleen goed analyseren wanneer u uw bedrijf als uw broekzak kent. Positionering kan op vele manieren worden gedefinieerd, maar ze hebben allemaal te maken met uw markt en de perceptie van waar uw producten zich in die markt bevinden.

Onderscheidende vaardigheid

Heeft u een bijzondere gave? Dit kan op u slaan, op uw personeel of op uw bedrijf als geheel. Als concept is het nauw verwant aan concurrentievoordeel, maar een onderscheidende vaardigheid is iets dat direct relevant is voor de winstgevendheid van uw bedrijf, en als u hem kunt thuisbrengen, kunt u hem volledig benutten. Het zou een speciale bekwaamheid kunnen zijn, geavanceerde technologie of een scherpe en vindingrijke werknemer – zorg dat u de krachten en verborgen talenten binnen uw organisatie analyseert.

Synergie

Dit is waarschijnlijk het belangrijkste element van strategisch denken (op blz. 69-71 kom ik hier uitgebreid op terug). Wat zijn de terreinen die u kunt combineren, opnieuw samenvoegen, uitbreiden of opnieuw verpakken om een hogere waarde te creëren en meer te kunnen verdienen? Het onderzoeken van groeimogelijkheden via samenwerking is waarschijnlijk een van de krachtigste middelen van bedrijfsanalyse. Het creëren van synergie is ook een van de betere redenen voor uitbreiding.

Analyse van de omgeving

Hoe passen u en uw bedrijf in het grotere plaatje van de bedrijfstak waarin u werkzaam bent? Vergis u niet – als u een bedrijf hebt moet u alert zijn op en gevoelig zijn voor de omgeving waarin u werkt. Degenen die dat niet zijn, houden gewoon op te bestaan.

Ik heb een vriendin gehad die uiterst succesvol was met het opbouwen van haar bedrijf aan het eind van de jaren tachtig. Ze wist haar bekwaamheden briljant te benutten en bouwde een uiterst winstgevend PR-bureau op. Op het hoogtepunt van haar succes in het begin van de jaren negentig dongen talloze bureaus overal ter wereld naar haar gunsten. Helaas voor mijn vriendin was zij een van die mensen die zelden de krant lezen of zich op de hoogte houden van wat er in de zaken- en PR-wereld gaande is. Ze wist ook niet hoe enorm belangrijk het is om strategische bondgenootschappen te sluiten, waardoor ze de spectaculaire stap naar een hoger niveau had kunnen nemen. Als gevolg hiervan haalden haar concurrenten haar snel in en uiteindelijk verloor ze haar concurrentievoordeel. Haar huidige klantenkring is bijna tot nul gereduceerd en binnenkort sluit ze haar bedrijf.

Het overdenken van strategische ideeën heeft dus niet uitsluitend groei ten doel. Het kan ook vaak het verschil betekenen tussen overleven en ter ziele gaan. Strategisch denken maakt het de ambitieuze ondernemer mogelijk om goed te plannen. Dat is geen eenvoudig proces. U heeft het niet zo maar onder de knie. Het vergt jaren en een hoop ervaring. Maar u moet meteen beginnen! Zorg eerst dat u vertrouwd raakt met de vijf bovengenoemde basisconcepten. Laat uw geest in deze termen denken. Observeer. Leer. Neem de tijd. Doe geen wanhopige poging om strategische planning onmiddellijk toe te passen. Denk er eerst over na.

Onderzoek elk concept zorgvuldig. Analyseer het, en breng het vervolgens in verband met uw specifieke bedrijf en omstandigheden. Elk bedrijf is uniek. Pas na serieuze evaluatie en onderzoek bent u in staat om alle informatie uit te pluizen en systematisch te ordenen. Met deze langzame en precieze benadering kunt u aspecten in uw bedrijf vaststellen die versterking behoeven. Pas dan kunt u uw sterke punten vast gaan stellen en de zwakke punten isoleren.

Stel vervolgens vast welke processen, producten en methodes u tot nu toe succes hebben opgeleverd. Hoe solide zijn uw sterke punten? Kunnen ze verder worden verbeterd? Vormen ze een serieus concurrentievoordeel? Behoren ze tot uw onderscheidende vaardigheden – vaardigheden, methoden of processen die u en uw bedrijf van anderen onderscheiden?

De formulering van strategie blijft echter niet bij een diepgaand onderzoek naar uw sterke en zwakke punten. Het moet ook een persoonlijke visie voor de lange termijn omvatten. Strategie betekent niet alleen maar expansie. Strategie vereist dat u opgewassen bent tegen de uitdagingen van groei en van verandering in de omgeving. Het vereist het vermogen en de overtuiging om zorgvuldig de gelegenheden te zien en vervolgens aan te grijpen. En dat moet ook nog op het juiste moment gebeuren.

SYNERGIE

Wanneer u enige mate van succes hebt bereikt met uw zaak, hebt u aanzienlijke kennis en ervaring van het bedrijfsleven opgedaan. U moet allerlei mogelijkheden hebben gezien die uitbreidingen van uw bestaande bedrijf vertegenwoordigen. Hier gaat synergie een rol spelen. Ik durf te stellen dat het verschil tussen degenen die wél het niveau van de zes cijfers halen en degenen die dat níet halen, het vermogen is om verbijsterende synergie-effecten te herkennen.

Managementgoeroes definiëren synergie indirect. Ze zeggen dat twee plus twee geen vier is, maar vijf of zes of zelfs acht! Dat is volgens hen synergie. Je komt die term overal tegen, vooral in de jaarverslagen van snelgroeiende bedrijven. Het is een mooie term – het kan heel veel betekenen of helemaal niets. Het betekent niets voor een zakenman of -vrouw als het bij analyses blijft. De ambitieuze, vastberaden ondernemer of professional onderzoekt zijn of haar bedrijf niet alleen om manieren te vinden om uit te breiden, maar ook om synergetisch te werken en komt vervolgens in actie. Groei en expansie worden dan bijna natuurlijke uitlopers van het ondernemingsplan. Hieronder volgen enkele voorbeelden van synergetisch denken:

UITBREIDING DOOR VERSCHEIDENHEID TE BRENGEN IN VERWANTE PRODUCTLIJNEN, MET HETZELFDE AFZETGEBIED ALS DE BESTAANDE

Dit soort uitbreiding wordt door deskundigen het opbouwen van 'kritische massa' genoemd, dat wil zeggen een zodanige omvang van uw bedrijf creëren dat u gebruik kunt maken van synergetische voordelen die voortkomen uit kostprijsverlaging. Met andere woorden, terwijl de omvang van uw bedrijf toeneemt, gaan de gemiddelde kosten van distributie (of verkoop) per eenheid omlaag, waardoor uw winstmarge over het geheel groter wordt. De marginale kosten van expansie zijn op deze manier dus lager dan toen u begon. Dit is een van de meest boeiende redenen voor expansie.

UITBREIDING DOOR VERSCHEIDENHEID TE BRENGEN IN VERWANTE PRODUCTLIJNEN, MET DEZELFDE TOELEVERINGSBRONNEN

Dit lijkt op het bovenstaande, maar nu bevindt het synergetische voordeel zich aan de kant van de bevoorrading. In sommige bedrijven is concurrerende bevoorrading cruciaal om succes te bereiken. Als uw zaak in deze categorie valt, moet u synergie op dit gebied zoeken.

FUSEREN MET OF OPKOPEN VAN EEN ANDER BEDRIJF, SOORTGELIJK OF VERWANT AAN HET UWE

Synergie neemt vaste vorm aan wanneer u beseft dat twee soortgelijke bedrijven onder één management tot winsten kunnen leiden die gelijk zijn aan die van misschien drie of meer bedrijven die apart worden geleid.

Men zegt vaak dat het beheren van één detailhandel evenveel inspanning en energie kost als het beheren van tien detailhandels die hetzelfde product of dezelfde dienst verkopen. Dit noemt men in vakjargon het concept van de marginale kosten. We weten dat vele processen en taken die het runnen van een bedrijf met zich meebrengen, makkelijk onder één leiding gecentraliseerd kunnen worden. Deze organisatorische aanpak is in feite het kernprincipe geweest voor vele succesvolle franchisebedrijven die het tegenwoordig zo goed doen.

Kijk maar naar Kentucky Fried Chicken en McDonald's. Deze ketens hebben hun bedrijfsstrategie zo perfect leren beheersen dat het openen van nieuwe zaken een fluitje van een cent is. Ze hebben alle knowhow, alle benodigde deskundigheid in hun vingers, zodat de enige kritieke beslissingen zijn waar ze de volgende zaak zullen situeren en hoe ze de klanten aan moeten trekken. Bedrijven als deze staan of vallen bij de perfectie van hun onderscheidende vaardigheid.

De grote sprong voorwaarts maken

Als u gewend raakt aan strategisch denken, zult u verbaasd staan over de duizenden ideeën en nieuwe mogelijkheden waar u zich plotseling bewust van wordt. In dit stadium zult u de commerciële wereld vanuit een ander perspectief gaan bekijken. U begint dingen in uw oren te knopen en brokjes informatie op te slaan die u opvangt tijdens gesprekken met leveranciers en verkopers. U gaat automatisch analyseren wat voor invloed nieuwe ontwikkelingen in uw commerciële omgeving op uw bedrijf hebben.

U wordt u erg bewust van kosten en marges. U zegt tegen uzelf: 'Hé, dit kan ik beter,' of 'Ik kan dit goedkoper leveren.'

Kortom, uw planningsvoelsprieten zijn zodanig verscherpt dat u zogenaamde 'tekortkomingen op de markt' signaleert waar u uw voordeel mee kunt doen. Als u deze subtiele veranderingen bij uzelf bespeurt, bent u klaar voor de grote sprong voorwaarts.

U zult de echte synergie-effecten gaan zien die op uw pad komen. Als dat gebeurt, bied dan weerstand aan de drang om u erin te storten zonder eerst wat fundamentele planning en risicoanalyses uit te voeren. Het zijn vervelende bijkomstigheden van het managementproces in dit stadium van uw zakelijke ontwikkeling, maar ze kunnen niet genegeerd worden. Misschien vindt u dat uw instincten goed genoeg zijn en misschien hebt u gelijk. Misschien hebt u zelfs geluk. Maar als u niet vanaf het begin de juiste gewoontes ontwikkelt, kunt u later grote fouten maken.

De tijd is voorbij dat ondernemers een groeiend bedrijf op de ouderwetse, willekeurige manier konden leiden, toen cijfers berekend werden op de achterkant van een envelop en beslissingen werden genomen op basis van instinct. De huidige zakenwereld is uiterst gecompliceerd, goedgeïnformeerd en zeer veranderlijk. De concurrentie is veel feller geworden. Kapitaal is makkelijker verkrijgbaar, zodat er steeds nieuwe bedrijven bijkomen die u beconcurreren. Ook de markten worden perfecter en de klanten worden slimmer.

Zelfs bedrijven die dankzij een speciale concessie, contacten of informatie in het voordeel zijn hoeven niet te hopen dat dat voordeel lang duurt. Niemand heeft nog een monopolie op informatie of deskundigheid. De wereld is erg concurrerend geworden. Daarom is iemand die vooroploopt degene die sneller dan de rest kansen kan zien, analyses kan maken en vervolgens ingecalculeerde risico's kan nemen.

Het resultaat hiervan is dat meer mensen tegenwoordig de kans hebben om het echt te gaan maken. Als u echt vastbesloten bent om miljonair te worden, moet u dit aannemen. Het huidige zakenmilieu lijkt erg bevorderlijk te zijn voor een explosie van ondernemerschap. Als uw bedrijf nu echt in de expansiefase zit, begin dan strategisch te denken. Wees ambitieus.

In het volgende hoofdstuk bespreek ik een speciaal terrein van groei – via aankoop en fusie. Nee, dit is geen strategie die alleen is weggelegd voor publieke bedrijven of grote magnaten. Ook u kunt groeien via aankoop. Ook u kunt betekenisvolle en strategische bondgenootschappen in de wacht slepen. We zullen de diverse methodes onderzoeken om een bedrijf te taxeren en we onderzoeken enkele technieken van succesvol onderhandelen.

HOOFDSTUK ACHT

Een bedrijf kopen

Voor sommigen is het kopen van een zaak een manier om te beginnen. Voor anderen is groei door acquisitie een optie die strategisch zinnig kan zijn. Een zaak kopen kan ook een manier zijn om verscheidenheid aan te brengen of om activiteiten uit te breiden en te integreren. Als u deze optie wilt overwegen, is het handig om de grondbeginselen van het taxeren van een bedrijf te kennen. Dit geeft u een solide basis om uw onderhandelingsstrategie te formuleren.

BEGINNEN

Toen ik besloot de veiligheid van mijn baan op te geven om mijn eigen bedrijf te beginnen, nam ik de kortste weg en maakte een grote sprong voorwaarts. Ik stelde vast in wat voor soort bedrijf ik mijn vaardigheid wilde testen, haalde enkele partners met grote namen over om mee te doen, regelde de financiering en deed een bod op een bedrijf dat ik had 'ontdekt'.

Toen ik het voor het eerst opmerkte – door nonchalant een accountantrapport van het bedrijf door te bladeren terwijl ik een bevriende bankier bezocht – was Dragon Seed Co Ltd in een stadium van zijn evolutie waarin het nodig wat glamour kon gebruiken en werkelijk schreeuwde om een nieuwe eigenaar. Het was jarenlang favoriet geweest bij rijke Hongkongse 'tais

tais' (echtgenotes), maar leed nu aan verwaarlozing en kwaadwilligheid tussen de families van zijn drie voornaamste aandeelhouders. Deze keten van warenhuizen en detailhandels, met zijn eigen gebouw aan Queens Road Central, Hongkong (een eersteklas stuk onroerend goed), had een uitstekende reputatie genoten – alleen was het bedrijf slaperig geworden en zag er doodmoe uit.

Ik vond het bedrijf laat in oktober en tegen begin januari van het volgende jaar had ik het gekocht en mezelf geïnstalleerd als een belangrijke aandeelhouder. Doordat ik erg vastbesloten was, werd ik directrice van mijn eigen groep warenhuizen. Het bleek voor mij (en mijn partners) de perfecte aankoop te zijn. Waarom? Omdat we precies wisten waarom we het bedrijf kochten en wat we ermee gingen doen.

Ook u kunt met een grote sprong in de commerciële zakenwereld komen door een bedrijf op te kopen. Het kan een geweldige manier zijn om te beginnen, vooral als het bedrijf al een tijdje bestaat. Elk gevestigd bedrijf heeft massa's zakelijke contacten, die op zich al veel waard zijn in termen van goodwill. Als u denkt dat u winstgevende nieuwe ideeën en activiteiten in de onderbenutte middelen van een bedrijf kunt injecteren, kan dat een uitstekende manier zijn om te beginnen in het bedrijfsleven. Anders gezegd, als u een bedrijf kunt vinden dat net het hoofd boven water weet te houden, en u bent ervan overtuigd dat u het beter kunt, moet u erop afgaan.

De financiering kan moeilijk zijn, maar het is geen onoverkomelijk probleem voor mensen die net als ik een succesvolle staat van dienst hebben die vele jaren beslaat. Het is nog beter als u enige deskundigheid hebt in het binnenhalen van kapitaal. En ja, aankopen is een optie die alleen echt openstaat voor degenen die enig kapitaal hebben of er aan kunnen komen. Maar de aankoop van een klein of middelgroot bedrijf moet voor velen van u haalbaar zijn.

GROEI DOOR ACQUISITIE

Groei door aankoop is een geweldige manier om uw bedrijf uit te breiden. In het vorige hoofdstuk ben ik ingegaan op synergie en zei ik dat een van de meest effectieve methoden om uw bedrijf te vergroten was om uit te kijken naar andere bedrijven die synergetisch bij het uwe passen. In plaats van weer helemaal opnieuw te moeten beginnen, kunt u een meerprijs betalen om een kant-en-klare organisatie te verwerven die het potentieel biedt om met de uwe te versmelten. In vele gevallen, als u de zaak goed onderzocht hebt, kunnen de voordelen, die het resultaat zijn van kostprijsverlaging, heel wezenlijk zijn.

Deze strategie om uit te breiden is zeer populair bij openbaar genoteerde bedrijven, voornamelijk omdat dit financiële systeem deze bedrijven toestaat nieuwe aandelen uit te geven als betaling voor een op te kopen bedrijf. Om het nog makkelijker te maken, kunnen handelsbanken en effectenmakelaars deze nieuw gecreëerde aandelen ook garanderen.

Besloten vennootschappen met beperkte aansprakelijkheid kunnen ook groeien door overname, maar hun mogelijkheid om deze vorm van financiering te gebruiken is beperkt, voornamelijk omdat er voor de aandelen van het bedrijf, die particulier zijn en niet beursgenoteerd, geen gerede markt is. Dit is een van de dwingendste redenen waarom bedrijven tot beursnotering besluiten. Het breidt de opties om extra financiering te krijgen uit voor het geval ze willen uitbreiden. Anders gezegd, openbare notering van het aandelenvermogen stelt een bedrijf in staat veel sneller te groeien dan wanneer dat aandelenvermogen in particuliere handen zou zijn gebleven.

Desalniettemin kunnen besloten vennootschappen met beperkte aansprakelijkheid een uitwisseling van aandelen aanbieden als beide partijen het hiermee eens zijn. Of u kunt misschien een partner vinden die bereid is nieuw uitgegeven aandelen te kopen, zodat het eindresultaat is dat het kapitaal van uw bedrijf toeneemt. Uiteraard daalt het percentage van uw bezit omdat u nu een partner hebt en omdat de persoon die u zijn bedrijf heeft verkocht betaald is.

Niets houdt u natuurlijk tegen om contanten te gebruiken om een bedrijf te kopen en dit is waarschijnlijk de meest gangbare methode. Gewoonlijk vertegenwoordigt contant geld een combinatie van intern gegenereerde fondsen – vastgehouden winst van het bedrijf of extra kapitaal dat u beschikbaar hebt gesteld – en bankleningen. Ja, banken overwegen inderdaad aankoop te financieren, vooral als u een cv hebt en kunt aantonen dat u de deskundigheid en de ervaring hebt om de aankoop met succes te runnen. Gewoonlijk kunnen de aandelen van het overgenomen bedrijf worden gebruikt als onderpand voor een dergelijke financiering.

Daarnaast is het altijd nuttig om de mening van professionele bankiers te vragen, omdat ze gewoonlijk de belangrijkste financiële aspecten die erbij komen kijken op een professionele manier doornemen en dingen zouden kunnen opmerken omtrent de geplande overname, die u over het hoofd hebt gezien.

Kwalitatieve en kwantitatieve analyse

Het beoordelen van de manieren waarop een ander bedrijf met het uwe kan samengaan wordt het *kwalitatieve* deel van uw analyse genoemd. Hiervoor gebruikt u voornamelijk uw gezonde verstand, gebaseerd op de kennis die u van uw bedrijfstak hebt.

Tegen de tijd dat u het stadium bereikt waarin groei door overname een serieuze optie wordt, zult u meestal al in een positie zijn waarin u bijna instinctief de voordelen inschat van het overnemen van de bijkomende detailhandels, filialen, productlijnen, distributiesystemen of marketingcapaciteit die bij het bedrijf horen dat u op het oog hebt. Een deel van de kwalitatieve analyse houdt in dat u een plan moet hebben voor na de overname.

Het is niet slim om een bedrijf te kopen dat goed bij uw bestaande bedrijf past als u niet echt weet hoe u hier uw voordeel mee kunt doen.

Laat u nooit inpalmen door goedklinkend jargon. Wees altijd praktisch in uw benadering. Kijk naar echte sterke punten die uw eigen sterke kanten aan kunnen vullen. Deze kunnen rentabiliteit zijn, een uitstekende locatie, bijkantoren in geografische gebieden waar u nog niet vertegenwoordigd bent of een of ander superieur systeem of proces dat het uwe versterkt – het zichtbare voordeel kan vele verschillende combinaties met zich meebrengen. Het overdenken van de redenen voor overname is op zich altijd zeer nuttig, want of u uiteindelijk tot overname overgaat of niet, uw eigen bedrijf is altijd gebaat bij de analyse.

Naast deze verstandige aanpak is het noodzakelijk dat u ook de relevante berekeningen maakt en de financiële aspecten onderzoekt – de balansen en de winst-en-verliesrekeningen. Er moeten basisberekeningen van nettowaarde en rentabiliteit worden gemaakt, en alle verplichtingen moeten grondig worden onderzocht. Dit is het *kwantitatieve* aspect van de analyse, en als boekhouden niet uw sterkste punt is, is het de moeite waard om een goed bekendstaand accountantskantoor in te schakelen om een analyse en onderzoek uit te voeren.

Aan de zakelijke kant is het zelden moeilijk om voorspellingen te doen van samengevoegde verkopen, kosten, marges en winsten, plus eventuele kostenbesparingen, als u uw bedrijf goed genoeg kent. Wees echter niet onrealistisch optimistisch als u uw toekomstplannen doorneemt.

Denk erom dat het moeten omgaan met een ander team werknemers, die al dan niet haatdragend tegenover nieuwe eigenaars kunnen staan, vaak een waar mijnenveld is. Acquisitiemanagement is bezaaid met onverwachte problemen, waarvan de oplossingen zo duur kunnen zijn dat ze een strategisch voordeel van de overname kunnen ondermijnen. Management na overname is allesbehalve gemakkelijk. Pas op voor bedrijven met machtige vakbonden of militante werknemers – die kunnen een nachtmerrie zijn!

Personeelsmanagement is vaak het moeilijkste aspect van management na overname – en hoe groter het bedrijf dat u koopt, hoe moeilijker de problemen van personeelsmanagement kunnen zijn. Bereid u dus voor. Het kan geen kwaad om met werknemers uit het middenkader te praten om te zien hoe ze tegenover een eventuele overname staan.

Een zaak evalueren

Een waarde bepalen voor een bedrijf is een subjectieve aangelegenheid. Ja, er zijn specifieke methoden voor taxatie, en professionele bedrijven stellen maar al te graag hun expertise op dit gebied ter beschikking. Hier volgen enkele algemeen geaccepteerde taxatiemethoden – die worden gebruikt door accountants, banken en financiers:

Methode van de koers-winstverhouding

Hierbij wordt de winst na belasting vermenigvuldigd met bijvoorbeeld een getal tussen acht en tien. Als de winst van het bedrijf *f* 470.000 bedraagt, is de waarde van het bedrijf gebaseerd op een veelvoud van tien *f* 4,7 miljoen. Als u deze methode gebruikt, moet u controleren van welke winst u uitgaat, van de *werkelijke* winst van het vorige jaar of van de *verwachte* winst van volgend jaar.

Controleer ook het gebruikte veelvoud. Is het de geaccepteerde 'norm' voor uw bedrijfstak? Een handige richtlijn is de prijs op de aandelenmarkt van bedrijven die soortgelijke producten maken of in dezelfde bedrijfstak bezig zijn. Controleer de gemiddelde koers-winstverhouding van hun voorraadprijzen en pas het dan naar beneden aan voor de niet-geregistreerde status van het bedrijf dat u wilt aankopen.

Methode van de intrinsieke waarde

Hierbij worden de nettobedrijfsmiddelen berekend en vervolgens aangepast voor markttaxaties van de vaste activa, zoals grond en gebouwen. Deze methode wordt vaak gebruikt voor bedrijven die veel bedrijfsmiddelen bezitten, zoals projectontwikkelingsbedrijven. Denk erom dat het woord 'netto' betekent dat u alle geldelijke verplichtingen moet aftrekken. Als u dan een negatief getal krijgt, houdt dat in dat het bedrijf technisch insolvent is. Dat betekent niet dat het bedrijf niet de moeite waard is om te kopen. Soms kan dit een gelegenheid zijn om iets goedkoop aan te kopen, vooral wanneer u weet dat u de waarde van de activa kunt vergroten. Een voorbeeld hiervan is wanneer er onontgonnen of agrarisch land in de boeken staat dat in de loop der tijd meer waard wordt doordat u erin slaagt de grond lucratiever te laten gebruiken.

WISSELEN EN COMBINEREN VAN DE TWEE BOVENSTAANDE METHODEN

Soms wordt een bedrijf getaxeerd door de intrinsieke waarde bij de koers-winstverhouding op te tellen (bijvoorbeeld, de intrinsieke waarde plus vijfmaal de winst na aftrek van belasting). Of het kan worden berekend als een veelvoud van de intrinsieke waarde zelf (bijvoorbeeld als twee maal de intrinsieke waarde).

Stilzwijgend in alle waardeberekeningen begrepen is de waarde die men aan 'goodwill' geeft. Laat u niet afschrikken door dit voorbeeld van een immaterieel goed. Goodwill heeft echte waarde en soms kan dit alleen de naam van het bedrijf zijn. Als de naam bijvoorbeeld een bekende merknaam is, met een goede reputatie die in verscheidene jaren is opgebouwd, kan men er wel degelijk enige waarde aan toekennen, vooral als het een hoog herkenningsgehalte heeft.

Het is heel belangrijk om op zijn minst met enkele van bovengenoemde taxatiemethoden vertrouwd te zijn, omdat dit u enorm kan helpen in het onderhandelingsproces. U kunt niet effectief onderhandelen tenzij u de basis kent van hoe een bedrijf getaxeerd wordt. Maar onderhandelingen gaan nooit alleen over de prijs. Gewoonlijk voegt de sluwe zakenman of -vrouw ook vereiste garanties en waarborgen toe om te zorgen dat bepaalde voorzorgsmaatregelen worden genomen. En tot slot zijn de betalingsvoorwaarden ook een onderhandelingspunt. U dient de betalingstermijn, de eventueel te betalen rente en misschien betaling via een combinatie van papier (aandelen) en cash te bespreken.

Bestudeer enkele transacties van openbare bedrijven die in de handelsbladen staan vermeld. Probeer ze te begrijpen. Steek iets op van de creatievere strategieën van financiering, acquisitie en spreiding van investeringen. Ze zijn natuurlijk niet allemaal slim, maar als u erover leest zet het u wel aan het denken.

In het volgende hoofdstuk gaan we van het tegengestelde perspectief uit en kijken we naar de belangrijke factoren die overwogen moeten worden, mocht u besluiten uw zaak te verkopen, en de redenen om dat te doen.

Hoofdstuk negen

Een bedrijf verkopen

In ieders leven doen zich vele kansen voor en het grijpen ervan creëert vele mijlpalen en kruispunten die de toekomst vormen. Beslissingen die op deze cruciale keerpunten worden genomen kunnen uw levensstijl en loopbaan drastisch veranderen.

Als iemand die halverwege het doel is om zijn eerste miljoen te verdienen, komt u voor keuzen te staan. Als u er eenmaal in slaagt een bedrijf op te bouwen, komt u op een bepaald punt voor de moeilijke keuze te staan of u uw investering moet verzilveren – de zaak verkopen, de winst opstrijken en de zakenwereld uw rug toekeren. Misschien is het iets waar u niet eens over na wilt denken – voor velen is het bedrijf dat ze hebben opgebouwd zo dierbaar als een kind. Het is niet moeilijk om emotioneel gehecht te raken aan een bedrijf dat heel veel voor u kan vertegenwoordigen.

Ik heb me nooit gehecht aan mijn banen of bedrijven. Ik heb ze altijd beschouwd als middelen tot een doel – om een niveau van financiële onafhankelijkheid te bereiken dat me in staat zou stellen mijn eigen baas te zijn. Ik besefte al vroeg dat ik alleen de vrijheid zou hebben om de levensstijl te kunnen nastreven die ik wilde, als ik onafhankelijk rijk zou zijn. Dit was een fundamentele waarheid die me aanspoorde en mijn intense verlangen schiep om genoeg geld te verdienen om me helemaal uit de zakenwereld terug te kunnen trekken.

Ik gebruikte alle talenten en middelen waarmee ik gezegend was. Dit betekende niet alleen dat ik alle management- en zakelijke vaardigheden aanwendde die ik door mijn werkervaring had verworven, maar ook alle feng shui-kennis die ik in de loop der jaren had verzameld en die misschien nog wel belangrijker was. Ik denk dat het besluit om een echte en zinvolle miljonair te worden precies samenviel met de tijd dat ik besloot feng shui te gaan gebruiken. Om dit te kunnen doen, kocht ik een nieuw appartement op de Peak in Hongkong en liet de hele woning veranderen volgens feng shui-principes. Dus toen voor mij de tijd was gekomen om te verkopen en de winst te incasseren, deed ik dat. Ik haalde mijn financiers en partners over om hetzelfde te doen. Samen verkochten we de Dragon Seed Company die anderhalf jaar in ons bezit was geweest.

Ik moet er echter bij zeggen dat ik best kan begrijpen dat anderen misschien niet willen verkopen en liever het bedrijf dat ze hebben opgebouwd naar grotere hoogten willen voeren. Zoals ik al zei, bent u degene die moet bepalen hoe ambitieus u bent en welke richting u uw carrière wilt laten opgaan. U bent degene die het heft in handen heeft.

Waarom verkopen?

Als u met het idee speelt om te verkopen, dient u dat project met dezelfde toewijding te benaderen als toen u het bedrijf opbouwde. De sleutel om een goede prijs te krijgen voor wat u hebt gecreëerd is om het voor uzelf duidelijk te maken waarom u wilt verkopen. Hier volgen enkele mogelijke redenen:

- U verkoopt om uw winsten te incasseren, zodat u nieuwe investeringen kunt doen. U bent een van die mensen die liever één vogel in de hand heeft, dan tien in de lucht. Daarnaast denkt u ook dat de economie zou kunnen verslechteren. U wilt geen daling riskeren. U wilt verkopen terwijl de waarden nog hoog zijn. Dit is een situatie waarin u slim moet zijn met de timing.
- U verkoopt om te kunnen stoppen met werken, zodat u andere dingen kunt doen in uw leven. Misschien groeien uw kinderen sneller op dan u beseft had. Ze hebben u nodig. Misschien heeft uw echtgeno(o)t(e) u nodig – omdat zijn of haar carrière begint te lopen. Hij/zij verdient nu meer en u wilt hem/haar liever volledig steunen. Bovendien heeft u al voor uzelf bewezen dat u het kunt. U kunt nu, zelfverzekerder dan ooit, een leven gaan leiden dat meer op uw gezin gericht is.
- U verkoopt omdat u de stress van het leiden van een bedrijf niet meer wilt. Het is niet leuk meer om elke dag weer vroeg op te moeten staan, naar kantoor te gaan, achttien uur te werken, en thuis verder te piekeren over de zaak. Het enthousiasme van vroeger is vervaagd met de dagelijkse inspanning, de aanhoudende problemen en de beslissingen die moeten worden genomen. Om kort te gaan, u lijdt aan de managerziekte. U wilt er gewoon uitstappen. Geld is nog altijd aantrekkelijk, maar de glitter is wat vervaagd.
- U verkoopt omdat u het gevoel hebt dat u niet verder komt met het bedrijf, dat het zijn grenzen heeft bereikt onder uw bestuur. Waarom? Omdat u niet nog groter wilt worden, maar weet dat u het dan verliest van de concurrentie. Dan is het veel beter om te verkopen en iemand anders het door u opgebouwde bedrijf te laten uitbreiden.

Misschien houdt u een klein aandeel in het bedrijf en laat u iemand anders de waarde ervan voor u vergroten. Van ondernemer wordt u dan investeerder.

- U verkoopt omdat het bedrijf niet zo goed loopt als u had gehoopt. De winsten dalen en de gedachte het allemaal om te moeten keren is vermoeiend en ontmoedigend. U ziet het teken aan de wand. Het gaat niet zo goed als de cijfers lijken aan te tonen. Hoe weet u dat? Omdat u lang genoeg in het bedrijf hebt gezeten. U weet dat bedrijven als de uwe moeten spreiden, van richting moeten veranderen om te overleven. En u bent te moe om opnieuw te beginnen. U kunt veel beter de zaak verkopen nu de cijfers er nog goed uitzien.
- U verkoopt omdat u een bod gedaan is dat u niet kunt weigeren. Goedgerunde ondernemingen die een goed potentieel lijken te hebben om uit te breiden, zijn favoriet bij expansiegerichte tycoons en grote bedrijven, die altijd op zoek zijn naar zulke succesvolle ondernemingen.

Gewoonlijk is hun bod moeilijk te weerstaan omdat het vaak leuk verpakt wordt. Het aanbod is vaak niet alleen maar een bedrag ineens voor het bedrijf, waarmee u van onmiddellijke winst kunt genieten, maar er wordt vaak een lucratief managementcontract bij gedaan. Dit geeft u de optie om het bedrijf te blijven runnen, een klein aandeel te behouden en gebruik te kunnen maken van de contacten, macht en invloed van een groot bedrijf.

Zo'n aanbod is perfect voor de man of vrouw die haar doel, het bereiken van het niveau van zeven of acht cijfers, nog niet uit het oog verloren heeft. Het is perfect voor iedereen die hogerop wil komen en vertegenwoordigt vaak de kans om een enorme sprong voorwaarts te maken om grote dromen na te jagen. Waarom? Omdat de overname door een groter bedrijf vaak betekent dat u onmiddellijk toegang hebt tot nieuw kapitaal.

Zo'n aanbod betekent erkenning van capaciteiten en prestaties. Het opent spannende nieuwe wegen voor verdere groei, omdat bij zo'n soort verkoop de mogelijkheid bestaat dat het in de toekomst nog beter wordt. Het is een andere geweldige manier om de grote sprong naar belangrijke directiekamers te maken. En ja, het kan u gebeuren en iedereen die vastbesloten genoeg is om te zorgen dat het gebeurt.

Als dit laatste scenario u aanspreekt, vorm uw bedrijf dan zo dat het aantrekkelijk wordt voor de grote jongens. Pak het strategisch aan. Kijk uit naar synergie, zowel voor u als voor een potentieel 'roofdier'. Identificeer mogelijke kopers. U kunt wachten tot ze u vinden, maar u kunt ook zelf het initiatief nemen.

Een koper vinden

Uw kans op succes in het zelf vinden van een koper is ongeveer vijftig procent; in tegenstelling tot conventioneel advies en gebruik hoeft het actief zoeken van een koper niet noodzakelijk de waarde van je bedrijf te verminderen. Er hangt veel af van hoe u het brengt, en dat geldt niet alleen voor het bedrijf maar ook voor uzelf. Zolang u slim bent over de verkoop en niet wanhopig te snel een transactie wilt afsluiten, zolang uw bedrijf gezond is en een solide groeipotentieel heeft, is er geen reden waarom een actieve campagne om de juiste koper te vinden niet zou slagen.

Als u op de markt bent voor een koper, wees dan voorbereid. Laat uw vaste activa, zoals grond en gebouwen, van tevoren taxeren zodat deze cijfers direct beschikbaar zijn. Laat dit doen door een taxateur die goed bekendstaat. Verzeker u er vervolgens van dat een goed bekendstaand accountantsbureau uw boekhouding altijd goed heeft verzorgd. Tot slot moet u ervoor zorgen dat uw bedrijf 'kraakhelder' is, met een gezonde balans, goede debiteuren en crediteuren, betrouwbare leveranciers en klanten en achtenswaardige bankiers. U dient er actief aan te werken dat u dergelijke eigenschappen vanaf het begin van een onderneming hebt, zodat de 'goodwillwaarde' ervan aanzienlijk wordt verhoogd. U bent dan in een goede positie om te mogen verwachten dat er een meerwaarde aan het prijskaartje van uw bedrijf wordt bevestigd.

Als u een koper hebt gevonden, moet u zeer gematigd zijn in uw onderhandelingsstrategie. Laat de koper het transactiepakket maar voor u samenstellen. Dit is vooral belangrijk als de koper een veel groter bedrijf is dan het uwe. Sta open voor het prijsniveau dat tijdens de onderhandelingen wordt geopperd; wees bereid te luisteren wanneer het betalingspakket wordt voorgesteld. Geef niet meteen antwoord. Luister alleen aandachtig en slaap een nachtje over specifieke voorstellen.

Voordat u gaat onderhandelen moet u al een aanvaardbare prijs voor uw bedrijf in uw hoofd hebben. Denk niet in termen van een enkele prijs. Werk rond een prijsniveau – de hoogste en de laagste prijs die u bereid bent te accepteren, afhankelijk van de aantrekkelijkheid van het totaalpakket.

Wees er goed van doordrongen wat u krijgt en wat u geeft. Als u een rol wilt blijven spelen in de bedrijfsvoering, maak daar dan een voorwaarde van. Presenteer het als een soort fusie. Maar denk erom, zelfs wanneer u de voorwaarden formuleert waaronder u de totale controle van uw bedrijf opgeeft, als u zo'n transactie accepteert, bent u niet langer de enige baas, wat voor beveiligingen u ook in de overeenkomst inbouwt. U kunt nog wel aanzienlijke invloed hebben, maar u hebt niet langer de autoriteit die u vroeger had, omdat u het meerderheidsbelang in het bedrijf hebt verkocht.

Dit soort verkoop heeft dan ook aanzienlijke voor- en nadelen. Als dit de optie is waartoe u hebt besloten, is er geen ruimte voor emotie of spijt. Vraag uzelf af of u kunt werken onder gecentraliseerde controlesystemen, of u orders aan kunt nemen van kille, onwelwillende bureaucraten, die geen idee hebben hoe uw bedrijf werd gerund maar er nu op staan dat u het bedrijfsbeleid volgt. Wen aan het idee dat u formele presentaties moet houden voor goedkeuring om het geld van het bedrijf te besteden. Wen aan het werken binnen de bedrijfscultuur van de nieuwe eigenaar. Neem de tijd en de moeite om de nodige aanpassingen te maken. U moet een prijs betalen, maar het kan zeer de moeite waard zijn.

Overdenk de dingen zorgvuldig voordat u besluit te verkopen. Als verkopen bij nader inzien niet de ideale handelwijze lijkt, kunt u ook andere expansiestrategieën onderzoeken, andere spannende manieren om kapitaal bij elkaar te krijgen. Deze worden in het volgende hoofdstuk besproken.

Hoofdstuk tien

Rijkdom creëren

In de voorgaande twee hoofdstukken speelden we met eerst het idee een bedrijf te kopen en daarna met het omgekeerde: een bedrijf verkopen. Dit zijn twee belangrijke strategische opties die beschikbaar zijn voor eenieder die geld wil verdienen in de zakenwereld en ze sluiten elkaar niet per se uit.

Strategische richtingen van bedrijven omvatten vaak beide opties in hun plannen op middellange en lange termijn – het verkopen van delen van hun bedrijf terwijl ze in andere richtingen uitbreiden. Deze andere richtingen kunnen het bedrijf meevoeren naar meer gespecialiseerde terreinen of naar speciale marketinghoekjes, of ze kunnen spreidingsmaatregelen vertegenwoordigen. Op het gebied van geld verdienen heeft elke richting de mogelijkheid om u naar de top te voeren. De sleutel tot succes is niet de richting die je neemt, maar de toewijding en energie die je stopt in het bereiken van je doel.

Het ontwikkelen van een groeistrategie

Richtingen van groei en ontwikkeling zijn vaak complex en vereisen strategisch denken (zie Hoofdstuk 7) en u bent degene die dit denkwerk moet doen. Als u een onvoorwaardelijke beslissing hebt genomen om uw bedrijf te laten groeien en op een hoger niveau wilt komen, is het van vitaal belang dat u wat verder gaat denken.

Bekijk nu de belangrijke strategische kwestie van hoe u waarde kunt creëren door groei en expansie. Het creëren van waarde creëert rijkdom. Bij het creëren van waarde moet u uw plannen op middellange en lange termijn gaan bepalen. Het overdenken hiervan geeft u en uw staf een richtinggevoel en schept een basis om toekomstige doelen te definiëren, kritieke succesfactoren te identificeren en zinvolle prestatiemaatregelen te bedenken.

De langetermijnvisie moedigt u ook aan om kortstondige kwesties van strategische te scheiden, zodat het opbouwproces meer samenhangend wordt binnen het raam van vastgestelde doelen. Dit leidt vervolgens tot het soort logische aanpak die nodig is om vroegere successen te handhaven en voort te bouwen op wat tot zover is bereikt – hierbij waarde creërend omdat u uw winsten kunt handhaven en zelfs vergroten. Het creëren van waarde heeft dus te maken met doelen en middelen. Als doel beschrijft het de visie van gewenste waarde, en als middel etaleert het ideeën en handelingen die nodig zijn om de visie waar te maken.

Bij het creëren van waarde in een bedrijf dient men altijd naar verscheidene belangrijke kwesties te kijken die oppervlakkig beschouwd onverenigbaar zijn en waarvoor compromissen moeten worden gesloten. Hier volgen enkele voorbeelden:

- directe belangen versus langetermijnbelangen;
- het niveau van het hele bedrijf versus het niveau van de afdeling;
- verantwoording voor nu versus verantwoording voor later;
- op safe spelen versus risico's nemen.

Als u over de aard van uw zakelijke beslissingen nadenkt, zult u nog andere transacties kunnen voortbrengen die winsten op korte termijn tegen waarde op lange termijn lijken uit te spelen. Dit geldt vooral als uw bedrijf al succesvol is en u probeert te besluiten hoe het verder moet. De strategische benadering geeft u de gelegenheid om uw gedachten op een productieve en constructieve manier te ordenen.

U weet dat u uw bedrijf grondig moet analyseren als u duidelijke en strategische richtingen wilt formuleren. Om ervoor te zorgen dat u dat zo grondig mogelijk doet, herhaal ik de vijf sleutelconcepten van strategische analyse (zie ook hoofdstuk 7):

- het vaststellen van uw speciale vaardigheid;
- weten waar u een voorsprong op de concurrentie hebt;
- synergie creëren;
- slim doorlichten van de omgeving (intern en extern);
- optimalisering van toewijzing van bedrijfsmiddelen (kapitaal, mankracht, enzovoort).

Een analyse gebaseerd op deze concepten stelt u in staat de belangrijkste ingrediënten voor uw bedrijf te ontwerpen én een duidelijke bedrijfsstrategie te ontwikkelen. Het zal uw visie verhelderen en het haalbare van het onhaalbare scheiden. Hieruit moet u een strategische blauwdruk kunnen formuleren die bijdraagt aan de waarde van uw bedrijf. U moet niet denken dat alleen grote bedrijven profiteren van dit soort strategisch denken en analyse. Geen enkel bedrijf is ooit te klein om van een slimme strategie te kunnen profiteren; en vergeet niet dat de waarde van uw bedrijf te maken heeft met groei, consequentheid van groei en houdbaarheid van groei. Als u deze realiteit als factor opneemt in de strategische richting voor de toekomst van uw bedrijf, zult u echte rijkdom creëren.

Als u dus miljonair wilt worden, moet u er hard aan werken om waarde te creëren. Hoe kunt u dat doen? Hier volgt een snelle lijst (die absoluut niet volledig is) van de vragen die u zichzelf moet stellen om verder na te denken over hoe u de waarde van uw bedrijf kunt vergroten.

- **Hoe kan in het grote geheel** de totale winsttoename worden gehandhaafd en zelfs vergroot? Hoe kan het product van het bedrijf verder worden ontwikkeld? Hoe kunnen de markten en marktaandelen van het bedrijf worden vergroot? Wat zijn de groeiopties voor het bedrijf? Zijn er interessante terreinen voor spreiding? Zijn er veelbelovende terreinen voor interne expansie? Zijn er bedrijven te koop die synergetische voordelen opleveren? Moet het bedrijf bepaalde productlijnen terugtrekken?
- Welke marktsegmenten kunnen worden vergroot **aan de verkoop- en marketingkant** van het bedrijf? Kan uw marketingmix – publiciteit, reclame, imago enzovoort worden verbeterd? Kunnen er nieuwe markten (nieuwe plaatsen om te verkopen) worden ontwikkeld? Kan de promotiestrategie worden verbeterd, versterkt of losgelaten? Moet de relatie tussen de prijs en de winstmarge worden herzien? Moeten distributiepunten worden vergroot of verkleind? Kan de verkoopafdeling productiever worden gemaakt?
- Moet u **bij de productie** naar nieuwe technologie gaan kijken? Kan uw productiviteit worden verhoogd? Is er ongebruikte capaciteit? Zijn er betere, productievere processen die u kunt gebruiken? Is uw kwaliteit het beste wat u kunt bereiken?

- Is **aan de kant van mankracht** de verhouding werkgever/werknemer bevorderlijk voor groei? Moet de managementstructuur gereorganiseerd worden? Wordt de mankracht wel ten volle benut? Zal toekomstige expansie grote investeringen in extra personeel vereisen? Zijn er extra cursussen nodig voor het personeel om de productiviteit te verhogen?
- Heeft u **aan de financiële kant** een goede langetermijnfinancieringsstrategie (over het bijeenbrengen van kapitaal voor groei)? Zijn de aanwezige controlesystemen in staat met groei om te gaan? Zijn de relaties met banken bevorderlijk voor groei? Is het beleid van de financiële administratie bevorderlijk voor het vergroten van de waarde van het bedrijf?

Andere benaderingen

Wat ik tot dusver heb gedaan is een klein theoretisch model voor analyse geven – de vijf-sleutelconceptenbenadering, met een aantal handige vragen erbij. Hoewel dit nuttig is, moet u vanaf hier ook verdergaan en andere modellen en benaderingen bestuderen, daarbij vooral lettend op de rol van financiering en boekhouding.

Eigenlijk zal als u groeit uw plaats in uw commerciële en zakelijke omgeving dit boekje waarschijnlijk ontoereikend maken. Maar tegen die tijd heeft dit boek al gedaan wat ik hoop dat het doet – u aansporen tot grote en grotere successen. U kunt natuurlijk dikkere en meer gespecialiseerde boeken raadplegen. Ik betwijfel echter of ze volledig gevormde ideeën en oplossingen kunnen bieden. Ik heb gemerkt dat de meeste boeken over management dogmatisch en vaak erg theoretisch zijn.

Het echte leven is zelden zo strak geconcentreerd dat een enkel boek, theorie, concept of planningmodel alle variabelen waar u mee te maken hebt kan bestrijken.

Ik heb gemerkt dat als ik twijfel en me niet in staat voel om serieus strategisch te denken, de betrouwbaarste persoon om me tot te wenden voor hulp en aanmoediging ikzelf ben – wat ik mijn hogere zelf noem, het zelf dat diep in mij huist en veel meer weet dan mijn oppervlakkiger zelf beseft. Dit hogere zelf heeft sterk ontwikkelde instincten die gebaseerd zijn op het totaal van mijn ervaringen en herinnert dingen die mijn oppervlakkige zelf allang vergeten is. Dit is voor u en ieder ander ook zo.

Als ik dus leiding nodig heb, ontspan ik me, richt mijn geest op leuke dingen en laat de antwoorden rustig naar boven komen. Sommige mensen noemen dit alfa-niveaumeditatie. Anderen noemen het creatief visualiseren voor oplossingen. Ik noem het het hogere zelf aan de oppervlakte laten komen. Als je jezelf duidelijk maakt wat het creëren van rijkdom is en zegt dat je het echt wilt, zal je hogere zelf je helpen er naar toe te werken.

Met onverwachte situatie omgaan

Het is meestal niet mogelijk om een functionele analyse te maken zonder er rekening mee te houden dat er allerlei dingen mis kunnen gaan. Uw cijfers kunnen bijvoorbeeld onbetrouwbaar zijn of gewoon niet beschikbaar, zodat u schattingen moet maken die onjuist kunnen zijn. Of een belangrijk personeelslid, op wie u zwaar steunde, besluit te vertrekken, waardoor u uw kansen op succes opnieuw moet evalueren. Of uw veronderstellingen kunnen fout zijn – enzovoort.

Vele miljonair-ondernemers kunnen u vertellen dat heroriëntatie van strategieën of strategische expansies niet zomaar 'gebeuren', eenvoudig als gevolg van een beslissing om het te doen. Het is eerder dat de aard van expansie zo is dat het plaatsvindt in een reeks korte en soms onverwachte spectaculaire stappen. Sommige van deze stappen zijn u misschien opgedrongen onder druk van externe ontwikkelingen. Het verlies van een belangrijke klant zou u bijvoorbeeld kunnen dwingen uw marketingstrategie te veranderen. Een nieuwe kans of een nieuwe locatie kan ook aanleiding zijn om uw situatie opnieuw te evalueren. Koersveranderingen kunnen zich dus voordoen als reactie op een situatie die geleidelijk ontstaat.

Ondanks dat verzekert het bepalen van een langetermijnplan en het mikken op een bepaald groeitempo u van een bewustzijn van zakelijke realiteiten, dat u kan helpen de uitdagingen van nieuwe concurrentiedruk en nieuwe kansen aan te gaan. Als u mentaal niet gereed bent om deze uitdagingen aan te gaan, zult u waarschijnlijk niet adequaat kunnen reageren wanneer onverwachte ontwikkelingen de gezondheid van uw bedrijf bedreigen en u er geld bij inschiet. Dit kan een potentieel 'waardeverlies' betekenen.

Vooruitdenken

Succesvolle ondernemers rusten zelden op hun lauweren. Zoals corporatiegiganten constant met bedrijfsplanning en waardeverhogende strategieën bezig zijn, moet ook u zich realiseren dat het bedrijf dat floreert, het bedrijf is dat waarde heeft, en dat is een bedrijf dat groeit, niet een dat statisch blijft. En groei moet in alle omstandigheden voortkomen uit zorgvuldig strategisch denken.

Dit wordt niet altijd volledig erkend door onervaren waarnemers van het bedrijfsleven. Beursanalisten bijvoorbeeld, vooral jonge, hooggekwalificeerde analisten met veel theoretische kennis en deskundigheid, maar zonder ervaring in de operationele omgeving, beseffen zelden dat succesvolle tycoons, die onvoorbereid beslissingen lijken te nemen of enorme financiële risico's nemen, dat alleen doen nadat ze de risico's zorgvuldig hebben afgewogen.

Ze weten hoe enorm belangrijk het is om waarde te creëren en ze begrijpen dat het soms noodzakelijk is om onmiddellijke winsten op te offeren om toekomstige winsten te beschermen of groeitempo's te handhaven. Ik heb vele 'selfmade men' snelle beslissingen zien nemen die verstrekkende gevolgen hadden voor de strategische richting van hun bedrijf. Hoewel dit vaak beslissingen van het moment lijken te zijn, is dat zelden het geval. Aan de beslissing om een bedrijf op te kopen – om een tweedehands uitrusting te kopen die plotseling beschikbaar komt, om belangen te spreiden in een niet-verwante bedrijfstak, om de aanbetaling te doen voor een enorm stuk onroerend goed – is meestal een hoop denkwerk voorafgegaan. Deze typen directeuren kennen hun bedrijf en hun sterke punten als hun broekzak. Ze weten precies wat hun uiteindelijke doelen zijn.

Hoog mikken

Als ze eenmaal zijn begonnen met het creëren van waarde, aarzelen ervaren, succesvolle ondernemers zelden. We kunnen belangrijke lessen van zulke mensen leren. Het opvallendste aan deze mensen is hun bijna obsessieve vastberadenheid om hun doel te bereiken. Het is vaak beangstigend om te zien – vooral van dichtbij – hoe ze risico's nemen. Ze zijn zo overtuigd van zichzelf, hun vermogens en hun visie, dat ze het risico nemen alles kwijt te raken wat ze bereikt hebben – om die enorme stap naar een hoger niveau te maken.

Zelfs een gebrek aan direct beschikbare fondsen om hun ambities te voeden, weerhoudt hen zelden. Sommigen van hen hebben hun succesvolle bedrijven als onderpand voor enorme leningen gebruikt om het benodigde kapitaal bijeen te krijgen. Deze mensen vertrouwen erop dat ze slagen. Als het erop aankomt een bedrijf op te bouwen – een miljoenenbedrijf – weten deze mensen dat het hen niet alleen om de jaarlijkse winsten gaat, het is de belofte van toenemende winsten en de consequentheid waarmee de winsten groeien en de verwachting dat deze consequentheid hen de 'waardecreatie' brengt die ze verlangen. Het is deze creatie van waarde die hen stimuleert om miljonair en zelfs miljardair te worden.

Dit zou dan het uiteindelijke doel moeten zijn van de ondernemer die de magische kring van miljonairs/miljardairs wil bereiken. Door strategische formulering van een doel kunt u de kansen benutten die uw succesvolle kleine of middelgrote bedrijf u biedt. Als u al zo'n bedrijf bezit, en het loopt goed, ga er dan voor!

Financiering voor groei

Als gebrek aan kapitaal u ervan weerhoudt om een grote stap voorwaarts te doen, zou u partners aan kunnen trekken die het geld hebben en de bovenzijde van het potentieel tot waardecreatie in uw bedrijf kunnen zien. Verkoop ze een stukje actie. Ga echter niet met individuen in zee. Kijk uit naar grote bedrijven die uw waarde honderd keer kunnen vermeerderen!

Wees u er wel van bewust dat u de controle over uw bedrijf kunt verliezen als u deze route kiest. Misschien moet u uw aandeel verkleinen om nieuw kapitaal te verwerven. U moet dus beslissen of u nieuw aandelenvermogen dat in handen van anderen komt tot 49 procent zult beperken. Denk erom dat u uw bedrijf kunt prijzen als een veelvoud van uw laatste winst wanneer u op deze manier partners aantrekt (zie blz. 81). Partners die erbij komen nadat u erin geslaagd bent uw bedrijf op te bouwen, mogen verwachten dat ze een meerprijs moeten betalen om zich met u te verenigen.

Het wordt natuurlijk niet in het bedrijf gestoken – het gaat naar u, omdat de transactie inhoudt dat u verkoopt. Op deze manier heeft u een kleiner aandeel in een bedrijf dat even groot blijft.

Een andere manier om aan geld voor expansie te komen is door nieuwe aandelen in uw bedrijf uit te geven – zeg tot 49 procent van het vergrote aandelenkapitaal aan uw nieuwe partner of partners. Als u het zo doet, stroomt het geld in het bedrijf en hebt u een kleiner aandeel in een groter bedrijf. Na vergroting van het kapitaal van het bedrijf door er extra aandeelhouders bij te halen, kunt u bankfaciliteiten gaan regelen. Banken zijn meestal bereid geld te lenen aan bedrijven die sterk gefinancierd zijn en een gezonde stroom verdiensten vertonen.

In het volgende hoofdstuk nemen we aan dat u hebt gekozen voor ambitieuze expansie – de spectaculaire stap vooruit die u voorbij het niveau van een miljoen heeft gebracht in termen van winst en waarschijnlijk verscheidene miljoenen in termen van verkopen. Uw bedrijf is niet langer maar één bedrijf – u hebt waarschijnlijk ook dochterondernemingen. En u hebt de kern van een managementteam om u te helpen groei en verandering te beheersen.

Hoofdstuk elf

Verandering van de manier van managen

Een van de veel betwiste realiteiten over het creëren van rijkdom is dat het makkelijker is om geld te verdienen dan om dat te blijven doen. Anders gezegd, als u eenmaal uw eerste miljoen hebt verdiend, kan het, in tegenstelling tot wat de meeste mensen denken, moeilijker worden om nog meer miljoenen te verdienen. Ik heb hier vaak over nagedacht en ben tot de conclusie gekomen dat de gemiddelde ondernemer als hij eenmaal geslaagd is, onwillig is om zijn of haar succesformule te veranderen. Bovendien gaat dit vaak gepaard met onwilligheid om nog meer risico's te nemen.

Er valt nu iets echts en tastbaars te verliezen, in tegenstelling tot de begintijd toen het makkelijker was om risico's te nemen – toen stond er nog niet zo veel op het spel. Er is uiteraard ook de instinctieve overtuiging dat je je, als je eenmaal rijk bent, wanhopig aan het platgetreden en succesvol gebleken pad moet houden. Je wordt er afkeriger van om risico's te nemen die inherent zijn aan veranderingen – soms zozeer dat je houding dogmatisch wordt. Het is alsof je een mentale blokkade hebt.

Helaas is de zakenwereld nooit statisch. Met de adembenemende snelheid van de nieuwe ontwikkelingen, nieuwe technologieën, nieuwe concurrenten en nieuwe perspectieven van vandaag, loopt iedereen die de ogen sluit voor nieuwe ontwikkelingen het gevaar slachtoffer te worden van juist die macro-economische en omgevingsveranderingen.

Een deel van een formule om voortdurend rijkdom te creëren houdt in dat je moet accepteren dat elke zakelijke organisatie moet inzien dat ze zich constant in een staat van verandering bevindt. We hebben gezien dat bedrijven, professionals en mensen moeten groeien om te overleven en te floreren. Er moet vernieuwing zijn – de ontwikkeling van nieuwe producten, expansie naar nieuwe markten, de introductie van nieuwe technologie en de verbetering van werkmethoden. Deze vernieuwing of verandering gebeurt meestal niet zomaar. U, als degene die uw eigen lot bepaalt, als eigen baas en eigenaar van uw zaak, moet degene zijn die zulke veranderingen in gang zet, plant en uitvoert. Dat is wat bedoeld wordt wanneer managementgoeroes over de noodzaak van leiderschap en visie praten.

Nieuwe horizonten

Een van de meest opzienbarende boeken over management van het afgelopen decennium is *The Change Masters*, geschreven door een van de vooraanstaande professoren van de Harvard Business School – professor Rossabeth Moss Kanter. De denkbeelden en theorieën die in deze bestseller worden uiteengezet, waren gebaseerd op jaren van intensief onderzoek in bedrijven die zich in verschillende fasen van hun levenscyclus bevonden. Professor Moss Kanter zegt:

> '... zonder een visie is er geen blijvend succes mogelijk en zonder daden en verantwoordelijkheid kan geen enkele droom werkelijk-

> heid worden. De komende jaren zouden een goede tijd moeten zijn voor dromers en profeten van de zakenwereld, omdat de hindernissen voor innovatie, de versperringen van inspiratie en verbeelding een voor een worden neergehaald... fysieke ruimte is bijvoorbeeld geen belemmering meer om waar dan ook elke deal te sluiten; de snelheid van informatieoverdracht heeft het bereik van commercie naar elke hoek van de aarde uitgebreid, en kleine bedrijven kunnen nu meer dingen doen die vroeger alleen grote bedrijven konden doen dankzij computers tegen veel lagere kosten...'

Wereldwijd verlagen landen hun barrières tegen ondernemingszin door openbare lichamen te privatiseren, vrij handelsverkeer over grenzen toe te staan, industrieën te dereguleren en vooral door het aanmoedigen van ondernemerschap. Voor de individuen van vandaag worden hindernissen voor ambitie gestaag opgeruimd. Zelfs binnen organisaties hebben verzwakte hiërarchieën en bredere participatie in probleemoplossing en besluitvorming hoge posities, die gepaard gaan met het aanbieden van aandelen, binnen het bereik gebracht van elk ambitieus en productief individu – waar hij of zij zich ook op dit moment op de ladder van het bedrijf bevindt.

Directeuren zien nu in dat de toekomst behoort aan degenen die de expanderende horizonten omarmen, degenen die nieuwe oplossingen vinden die het u mogelijk maken meer te doen met minder, degenen die het zakelijke spel volgens de nieuwe regels spelen. Om verder te komen moet u dan ook visie hebben.

Wanneer u geen visie hebt, zullen concurrentiebelemmeringen u dwingen om op nog niet bestudeerde scenario's te reageren. Verandering is onvermijdelijk en dit besef heeft velen ertoe gebracht op te merken dat het enige dat constant blijft de noodzaak van verandering is. Erkenning van de noodzaak van verandering is zo cruciaal, dat zelfs de grootste en sterkste maatschappijen soms over de kop kunnen gaan of ernstig aangetast kunnen worden als hun leidinggevenden niet voorbereid op of dogmatisch tegen veranderingen zijn.

VERANDERING TEN UITVOER BRENGEN

Verandering wordt vaak tegengehouden door personen met een koppige denkrichting, die de voorkeur geven aan 'veilige' strategieën, of door mensen die zich bedreigd voelen. Verandering van managen vereist dan ook enig gebruik van psychologie. Als u zich nu in een situatie bevindt waarin u de processen en richtingen van verandering hebt geïdentificeerd en u een grote verandering binnen uw organisatie wilt doorvoeren, moet u begrijpen dat u voorzichtig te werk dient te gaan. Kijk uit dat u geen zwakke ego's kwetst. Verandering moet gevoelig worden gemanaged. Maar in de handen van iemand met visie kan verandering geweldige kansen creëren en verrassende nieuwe wegen voor groei ontsluiten.

Agenda's voor verandering moeten van bovenaf komen. In uw eigen bedrijf is dat dus van u. U moet de verantwoordelijkheid nemen. U moet denken: Tenzij ik zelf het proces in gang zet, zouden de houdingen ten opzichte van verandering van hoog tot laag wel eens negatief kunnen zijn. Ik moet dus de verantwoordelijkheid nemen en stimuleren. Dit komt omdat verandering op zich vaak als bedreigend wordt ervaren, en uw vooruitziende belangen hoeven niet noodzakelijk samen te vallen met die van uw hooggeplaatste of ondergeschikte personeel.

Dit is vooral het geval wanneer ze alleen maar kortetermijnscenario's kunnen zien, zoals de mogelijkheid dat hun bonussen in gevaar komen door de aanvankelijke vermindering van verkopen die gezien wordt als voortkomend uit een verandering.

Soms kan weerstand uit onverwachte hoeken binnen uw organisatie komen, wellicht van uw betrouwbaarste en langst in dienst zijnde mededirecteur – niet omdat hij/zij tegen u is, maar omdat hij/zij niet begrijpt wat u voor ogen hebt, noch uw visie kan waarderen.

U moet er dan ook wat tijd voor uittrekken om de grondgedachte achter uw voorstellen en daden uiteen te zetten – vooral aan uw meer betrouwbare luitenants. U eist hun steun en hebt die nodig als u wilt dat door u in gang gezette veranderingen slagen. Weerstand tegen verandering komt ook voor wanneer het proces in botsing komt met vertrouwde gedragspatronen en status. Dit kan zich manifesteren als wantrouwen, angst en soms zelf uitgesproken vijandigheid, vooral wanneer een verandering die u doorvoert plaatsvindt onder onzekere omstandigheden.

Ik herinner me dat ik pas voor een Chinese groep werkte die wanhopig in de moderne zakenwereld wilde springen. De grote baas besloot tot een herstructurering van het hele bedrijf. Er waren heel veel verzetsnesten, voornamelijk omdat veel algemeen directeuren bang waren onder het nieuwe systeem hun prettige banen kwijt te raken of overgeplaatst te worden naar andere, minder belangrijke en lucratieve posities. Er was veel vastberadenheid van de baas voor nodig – om nog maar te zwijgen van zijn eigen overtuiging van de noodzaak tot verandering

– om de veranderingen door te drukken die volgens hem nodig waren om zijn bedrijf naar het volgende stadium van zijn evolutie te brengen en een belangrijke speler te blijven in het nieuwe zakenmilieu.

Als u deze kwestie van verandering overweegt, doet u er goed aan te begrijpen dat het managen van het mechanisme, het proces en het tempo van verandering altijd voor enorme uitdagingen zorgt. Het helpt als u veel tijd uittrekt voor interactieve discussies om uw grondgedachte voor de verandering te perfectioneren. Uw doelen moeten duidelijk worden verwoord. U moet alle dubbelzinnigheden oplossen. En u moet de volledige steun van uw belangrijkste stafleden zien te verkrijgen – via overreding of dwang.

Slechts dan zal het tempo van verandering echt aan stootkracht winnen en kunt u uw visie doorvoeren in een steunende omgeving. Dit zal uw kansen op succes versterken omdat uw staf u dan helpt om het veranderingsproces precies af te stemmen. U wint er ook het broodnodige vertrouwen mee als u de volledige steun van de staf hebt, omdat er dan een wijdverbreid optimisme in uw organisatie zal heersen. Geslaagde doorvoering van een koersverandering wijst naar grotere kracht in de toekomst. U voegt bouwstenen van succes toe, die u zullen helpen naar een veel hoger niveau over te springen.

In het volgende en laatste hoofdstuk kijken we naar andere kwesties die steeds meer van uw tijd in beslag gaan nemen wanneer u uw weg vervolgt om de status van multimiljonair te bereiken. In dit stadium bent u geen ondernemer meer. U begint de funderingen te leggen om een echte, bonafide tycoon te worden!

HOOFDSTUK TWAALF

De miljoenen behouden

Er zijn weinig dingen die tegen de euforie van echte prestatie op kunnen. De lucht op de top van de berg is adembenemend licht. De wetenschap dat je miljoenen bezit en dat je die niet hebt geërfd of gestolen, dat je ze niet hebt gekregen, maar dat je ze eigenhandig hebt verdiend, is een gevoel dat iedereen die veel presteert minstens een keer in zijn of haar leven verdient mee te maken.

Maar natuurlijk waren deze miljoenen nooit een doel op zich. Ze waren altijd een middel tot vele doelen – om uiteindelijk onafhankelijk te zijn; om in de beste restaurants te kunnen dineren; om met stijl over de wereld te reizen; om alles te kopen waar je zin in hebt; om door een chauffeur te worden rondgereden; om kleding van de beste ontwerpers te dragen; om je in alle chique plaatsen thuis te voelen; om bewonderd, gerespecteerd en erkend te worden. Dit alles is waar we van dromen, de franje die het leven van een succesvol persoon in goeden doen versiert.

Misschien wordt het nu tijd om een persoonlijke balans op te maken. Wat kunt u aan de debet- en creditkant zetten? Wat zijn uw *persoonlijke* activa en passiva? Hoeveel offers heeft u moeten brengen om miljonair te worden?

Dit soort inventarisatie dient een belangrijke plaats in te nemen in de levens van succesvolle mensen. Als je eenmaal bereikt hebt wat je van plan was, en vooral wanneer het doel was om veel geld te verdienen, nemen toekomstige doelen dramatisch nieuwe perspectieven aan.

Het vooruitzicht om verder te klimmen, een hogere of andere berg op, om verdere uitdagingen aan te gaan, wekt verschillende reacties op bij verschillende mensen. Afhankelijk van de levensfase waarin je verkeert, zal je verschillend reageren. Zoals elke geslaagde persoon u kan vertellen, is het niet makkelijk om voorgaande triomfen te evenaren, laat staan te overtreffen.

De 'veilige weg' kiezen

Ik ken vele selfmade mannen en vrouwen die, nadat ze met succes hun zakenimperiums hadden opgebouwd, hun winsten incasseerden door te verkopen. Na enkele jaren verlof werden sommigen weer aangetrokken tot het bedrijfsleven – maar wel met een verschil. In hun rijpere jaren kozen deze mensen voor de veiliger weg van het werken voor een bedrijf als werknemer. De zware rol van degene die de risico's neemt, de ondernemer, voelde niet prettig meer. Met hun miljoenen al binnen, richtten deze mensen zich op het behouden van wat ze al hadden. Ze lieten hun kapitaal groeien via veilige investeringen, terwijl hun salaris in de dagelijkse onkosten voorzag. De drang om weer aan het arbeidsproces deel te nemen werd bevredigd door de (meestal) hoge posities die ze kregen.

Het zijn meestal vrouwen die voor deze minder stressvolle weg kiezen. Mijn voormalige partner, Cynthia Picazo, afgestudeerd in bedrijfsadministratie en voormalig directrice van een financieringsmaatschappij in Hongkong, die met me samenwerkte in de Dragon Seed deal, stopte voor een paar jaar met werken nadat we het bedrijf hadden verkocht. Nu werkt ze als directrice voor een multinational. Ze is teruggekeerd naar het bedrijfsleven, maar als werkneemster. Haar miljoenen zijn veilig geïnvesteerd in prima aandelen. Voor haar geen risico's van een nieuwe onderneming.

Ik heb geen wetenschappelijke gegevens om een definitieve uitspraak op te baseren, maar ik kan u wel vertellen dat van mijn collega's wier bedrijven het miljoenenniveau haalden, de meerderheid de zaak heeft verkocht, waarna ze hun geld 'veilig' belegden. Zo krijgen ze regelmatige rendementen en wordt hun kapitaal zelden aangetast.

Het is makkelijk te begrijpen waarom oudere en geslaagde mensen afkeriger worden van risico. Met iets tastbaars te verliezen, is de impulsieve gedecideerdheid van hun vroege jaren zelden zichtbaar. Zelfs bij het beheren van hun investeringen bespeur ik een inherente onwil om het risico te lopen te verliezen wat ze al verdiend hebben.

Het hoogste nastreven

Voor sommigen is de drang om door te gaan, om groter en rijker te worden onweerstaanbaar. Grote bedrijven kunnen rondom bijna elke bedrijfstak worden opgebouwd – of het nu op diensten of op producten is gericht. Er is altijd ruimte voor 'parvenu's' – middelgrote bedrijven die het opnemen tegen de reuzenmaatschappijen. Er zijn altijd nieuwe manieren om dingen te doen – managen, produceren, promoten, verkopen – en er zijn tegenwoordig ontelbare nieuwe manieren om aan kapitaal te komen. Voor mensen met visie zijn de mogelijkheden onbegrensd.

Als u zich in een stadium bevindt waarin u aan een belangrijke expansie toe bent, moet u enkele van de nieuwe manieren onderzoeken om fondsen te verkrijgen (zie ook blz. 30-33). U kunt serieus overwegen uw bedrijf aan de beurs te laten noteren en 'partners uit het publiek uit te nodigen' via een eerste openbare emissie. De vereisten voor registratie bij een handelskamer lijken in geen enkel land meer zo intimiderend, vooral als je hoort over jonge mensen van een jaar of twintig die ineens honderden miljoenen waard zijn nadat ze bedrijven hebben laten noteren die ze achter in een garage zijn begonnen.

De verhalen die uitlekken, vooral uit Amerika, laten alles verleidelijk bereikbaar lijken, en als u al een bedrijf leidt waarvan de omzet het niveau van zeven of acht cijfers heeft bereikt (en consequent rendabel is geweest), zou beursnotering een geweldig alternatief zijn dat u serieus moet overwegen. De effectenbeurs is gek op geslaagde ondernemers die potentieel tonen... net als de professionele geldmanagers, de effectenmanagers. Het is de moeite waard om erover na te denken. U zou er erg rijk door kunnen worden.

Ga met een handelsbank praten. In tegenstelling tot wat de meeste mensen denken maken handelsbanken tijd vrij voor succesvolle ondernemingen die de expansiefase hebben bereikt. Als u een middelgroot bedrijf hebt in een groeisector (bijvoorbeeld op het internet), zijn ze dól op klanten zoals u. Elke financiële deskundige droomt ervan een tweede Bill Gates of Larry Ellison te ontdekken.

Als u niet zeker bent of uw bedrijf in aanmerking komt, moet u zich niet door gebrek aan zelfvertrouwen laten weerhouden om de criteria voor notering uit te zoeken. Praat met de bedrijfsfinanciers van handelsbanken. Wie weet wat eruit voortkomt. Of praat met zakenvrienden. U zult verbaasd staan hoeveel u op kunt steken als u serieus begint te onderzoeken.

Als u nog steeds twijfels hebt, zal ik u een verhaal vertellen. Toen Dickson Poon, de Hongkongse detailhandelkoning, mij voor het eerst ontmoette, had hij alleen maar vijftien gehuurde winkels. Dickson was een ambitieus man die ervan droomde detailhandelkoning van de wereld te worden! Hij was jong, slim en een extreem goede zakenman. Ik was zeer onder de indruk van zijn doorzettingsvermogen. Hij was zijn winkels begonnen (horloges, sieraden en andere luxeartikelen) met een lening van HK$5 miljoen van zijn vader. Nadat hij een succesvolle winkelketen had opgebouwd, wilde hij een grote sprong voorwaarts maken, maar hij wist niet precies hoe. Ik adviseerde hem een open NV van zijn bedrijf te maken. We wisten dat hij, qua activa, niet de basis had om genoteerd te kunnen worden, maar toen het idee eenmaal had postgevat, werkte hij er hard voor.

In die tijd was beursgang via de achterdeur nog een vrij nieuwe methode. We vonden een genoteerd bedrijf met wat onroerend goed, kochten het beheer over het bedrijf, waarna Dickson zijn kleinhandelszaken in het bedrijf injecteerde in ruil voor de pas uitgegeven aandelen van het bedrijf. Zo ontstond Dickson Concepts. Ik was de waarnemend directeur van het bedrijf in die tijd.

Tegenwoordig heeft dit bedrijf – een wereldwijde kleinhandelsgigant die een miljard waard is – het volledige beheer van de luxe Franse firma S.T. Du Pont of Paris (met meer dan 500 boetieks over de wereld) en bezit ook Harvey Nichols (met twee belangrijke luxe warenhuizen in Engeland – in Londen en

Leeds). Dus jullie potentiële Dickson Poons kunnen best wel eens op een potentiële goudmijn, een potentieel conglomeraat, een potentieel reuzenbedrijf zitten.

Stel geen grenzen aan uw dromen en ambities. Als u het uithoudingsvermogen hebt en zeker bent van uw succes, moet u er gewoon voor gaan. Laat u inspireren door succesverhalen. Lees autobiografieën van rijke mensen die zelf hun fortuin hebben gemaakt. U zult verbaasd zijn dat deze mensen ook af en toe de moed verloren en last hadden van angsten, zorgen en onzekerheid.

Nu u een overzicht hebt van alles wat van u verlangd wordt op uw tocht om uw eerste miljoen te verdienen, gaat u terug naar hoofdstuk 1 en denkt er nog eens over na. Ja, als u goede ideeën hebt, laat de zaden ervan dan ontkiemen. Laat ze niet in de kiem smoren. Denk aan hoe u van uw rijkdom kunt genieten als u die hebt verdient! Dat is waar het allemaal om gaat bij geld verdienen. Om uw leven (en dat van uw dierbaren) prettig en zinvol te maken.

Blijf u prettig voelen bij de gedachte aan geld verdienen en rijk worden. Er is niets slechts en veel goeds aan om de vruchten van het materialisme te willen plukken. Verlangen naar rijkdom is niet slecht, vooral als u begint met de juiste motivatie, namelijk om het soort onafhankelijkheid te ontwikkelen dat u in staat stelt uw eigen baas te zijn – beter nog, als uw motivatie is dat u uw leven gebruikt om anderen te helpen. Het is makkelijker om royaal te zijn als je de materiële dingen hebt in het leven.

Onderzoek dus uw motivatie. Streef ernaar uw miljoenen te verdienen met een goed hart.

Appendix I

Een handtekening voor succes ontwikkelen met feng shui

Men zegt dat je handtekening succes en voorspoed aantrekt als hij begint en eindigt met een ferme, opwaartse pennenstreek. Kijk eens naar de volgende handtekeningen:

A C

B D

Handtekening A Vanuit een feng shui-perspectief gezien is dit de gunstigste handtekening van de vier. Let op de opwaartse streken aan het begin en eind. Dit staat voor een goed begin en een goed eind voor elk ondernomen project. Mijn feng shui-meester zegt dat als je dit soort handtekening negenenveertig keer op een verlanglijstje zet gedurende negenenveertig dagen, dat je wensen uitkomen.

Handtekening B Deze handtekening is maar voor een deel goed. Hij begint met een ferme, opwaartse streek, maar eindigt met een even ferme neerwaartse. Handtekeningen die lijken te eindigen met een achterwaartse beweging zijn niet gunstig. Het duidt op een triest einde.

Handtekening C Dit is ook een voorbeeld van een handtekening met uitstekend feng shui. De halen aan het begin en eind zijn opwaarts. Een streep onder een handtekening wordt ook als deel van de handtekening beschouwd. Degenen die geen opwaartse haal aan het eind hebben, kunnen dan ook een ferme opwaartse streep zetten om de gunstige handtekening te creëren.

Handtekening D loopt haast onmerkbaar schuin af aan het eind. Hij is dan ook niet gunstig. Als uw handtekening er zo uitziet, verander hem dan zo dat de haal omhooggaat.

Feng shui-advies voor mensen die hun loopbaan in het zakenleven beginnen

Op het werk, waar u al uw zakelijke beslissingen neemt, moet u zorgen dat u zit:

- in een gunstige richting. Kijk wat uw geluksrichting is volgens de kua-formule in de tabel op bladzijde 126. Leer de voor u gunstige richtingen uit uw hoofd en zorg altijd dat u in de beste zit als u werkt, onderhandelt of een verkoopverhaal afsteekt;
- met iets stevigs achter u, bij voorkeur een blinde muur, die nog versterkt kan worden door er een foto van een berg aan te hangen. Dit geeft u goede steun in uw werk. Ik zou een van de drie speciale bergen van de wereld kiezen, waarvan gezegd wordt dat het de drie hoofdchakra's van de wereld zijn. Dit zijn Mount Kailash in Tibet, de Tafelberg in Zuid-Afrika en Ayers Rock in Australië. Deze ber-

gen hebben een eigen kracht en een afbeelding ervan zou ideaal zijn om achter u te plaatsen;
- met de deur duidelijk zichtbaar, links of rechts voor u. Als u de deur achter u hebt, is het waarschijnlijk dat u bedrogen, voor de gek gehouden of in de rug gestoken kunt worden – iets dat u zich in dit stadium niet kunt permitteren.

Nog meer feng shui-advies voor nieuwe bedrijven

Vergeet niet te controleren of u niet zit:

- onder een zichtbare plafondbalk, die kan veroorzaken dat u bezwijkt onder druk en lange uren achter uw bureau. Als dit wel zo is, schuift u uw bureau gewoon een stukje op;
- in de vuurlinie van de scherpe rand van een uitstekende hoek. Als u door zo'n rand 'geraakt' wordt, zet dan een plant voor de rand om het effect ervan te verzachten en verschuif het bureau een stukje.

Harmonie op kantoor met feng shui

U kunt ervoor zorgen dat er een harmonieuze en productieve wisselwerking is tussen iedereen met wie u werkt door een beetje hulp van feng shui te gebruiken. Een effectief feng shui-middel is een groepje van zes gladde, natuurlijke kristallen bollen in de noordwesthoek van uw kantoor. Dit put uit het hemelse geluk van netwerken en soepele relaties. Als u wilt, kunt u ook nog kristallen in de zuidwesthoek van uw kantoor leggen. Dit is vooral werkzaam in bedrijven die door vrouwen worden geleid, aangezien het stimuleren van feng shui 'chi' van het zuidwesten de matriarchale energie ten goede komt.

De financiële situatie van uw bedrijf verbeteren met feng shui

- Investeer in enkele Chinese munten, het soort met een vierkant gat in het midden. Bind drie munten aan elkaar met rood draad en bevestig de feng shui-munten aan uw factuur- of orderboek en uw fax of computer.
- Een van de beste symbolen die u in het kantoor kunt introduceren om uw geluk in zaken te versterken is een model van een koopvaardijzeilschip. Ik raad u ten sterkste aan dit symbool te gebruiken, omdat het staat voor een prachtige lading die u door wind en water wordt gebracht. Omdat feng shui over wind en water gaat, is de symbolische betekenis enorm gunstig. Probeer een schip te vinden dat van hout is gemaakt en waar geen kanonnen uitsteken. Leg vervolgens halfedelstenen en namaakgoudstaven en munten op het dek. Zorg vooral dat u het schip zo plaatst dat de zeilen aangeven dat het het kantoor binnenvaart. Als het schip per ongeluk zo wordt gedraaid dat hij het kantoor uitvaart, zullen uw winsten zeker dalen!

De magie van de winden gebruiken om u uw miljoenen te brengen

Een beroemde taoïstische meester uit Hongkong gaf me eens een verlanglijstritueel, dat geluk in zaken zou bevorderen:

- Schrijf wat u het allerliefste wilt hebben op een met helium gevulde ballon. Schrijf uw wensen duidelijk en beknopt op. Laat vervolgens de ballon wegzweven, hoog de lucht in. Het is beslist geen feng shui – het is een geestelijk ritueel dat leuk is om uit te voeren.

  Op een zondag deed ik het en schreef mijn wens op dat ik als een koningin in alle hoofdsteden van de wereld wilde kunnen winkelen. Dat was vlak voordat ik de Dragon Seed-transactie afsloot (zie blz. 75 e.v.), die me in staat stelde mijn eigen warenhuisketen te hebben en twee jaar lang als een keizerin te winkelen, toen ik directrice was.
- Een variatie is om een spandoek met uw wensen erop in uw tuin te hangen. Laat de wind uw wensen de hemel invoeren om gerealiseerd te worden.

UW KANSEN OP EEN WINSTGEVENDE ACQUISITIE VERGROTEN

Om uw kansen te vergroten om een ongelooflijke, winstgevende aankoop te doen die u en uw bedrijf onmiddellijk financiële voordelen brengt, raad ik u sterk aan om de 'arrowana' in uw kantoor te introduceren. De beste manier om deze schitterende feng shui-vissen te houden is om er een uit een arrowanakwekerij in Singapore te importeren. Het is niet nodig om meer dan één vis te houden en omdat ze nogal snel groeien, hebt u er een vrij groot aquarium voor nodig.

Breng geen versiering (stenen, gras, achtergrond) in het aquarium aan. De arrowana heeft niets nodig, behalve een krachtige zuurstofpomp om te zorgen dat het water voldoende belucht wordt. Gewoonlijk leeft de arrowana van levend aas, maar ik raad u aan korrels te kopen (speciaal ontwikkeld door aquariumliefhebbers in Duitsland).

Zet uw aquarium in de noord- of zuidoosthoek van het kantoor. De gunstigste plek is in de hal van uw kantoor. Zorg vooral dat u het water goed schoonhoudt.

Een overnametransactie van uw zaak verbeteren met feng shui

Wanneer u een zaak wilt verkopen en een koper zoekt, kunt u feng shui gebruiken om een lucratieve transactie te stimuleren. Activeer de zuidoosthoek van uw kantoor met een mooie grote plant of zet een aquarium neer en breng het element water in dit deel van het kantoor.

Dit wekt dynamische yangenergie op voor de sector die met rijkdom geassocieerd wordt.

Uw bedrijf beschermen met feng shui

Wanneer in uw werk alles soepel loopt, is het een goed idee om een aantal beschermende symbolen in het kantoor te plaatsen om het geluk 'binnen te sluiten' en te beschermen tegen aanvallen van ongeluk die worden veroorzaakt door slechte vallende sterren. Dit gaat om de tijdsdimensie van feng shui-uitingen.

Hang een windorgel op om het ongeluk, veroorzaakt door de jaarlijkse ongunstige vijf-geel-ster, te onderdrukken. Om dit met succes te kunnen doen, moet u weten waar de vijf-geel-ster zich elk jaar bevindt. In 1999 was dat in het zuiden en windorgels moesten in die sector worden gehangen om te beschermen tegen verliezen en ziekte in het kantoor. In het jaar 2000 valt de vijf-geel-ster naar het noorden, in 2001 naar het zuidwesten, in 2002 naar het oosten, in 2003 naar het zuidoosten, in 2004 naar het midden van het kantoor en in 2005 valt hij naar het noordwesten. Verplaats uw windorgel dus elk jaar om de slechte effecten van deze feng shui-bezoeking te overwinnen.

Beschermend feng shui kan ook worden geactiveerd door twee Fu-honden naast de ingang van het kantoorgebouw te zetten. Deze beschermen tegen verlies en behoeden u ervoor dat u wordt bedrogen of uitgespeeld. Bedrijven hebben altijd voordeel van de aanwezigheid van Fu-honden.

Goed feng shui voor zaken

Het feng shui van een bedrijf weerspiegelt gewoonlijk dat van zijn directeur. Als de baas goed feng shui heeft, heeft het bedrijf, de afdeling of het filiaal dat hij of zij runt dat ook. Eigenaars/directeuren van bedrijven moeten er dan ook altijd voor zorgen goed feng shui te ervaren.

Een uitstekende manier om goed feng shui in het kantoor te hebben, is door te zorgen dat het altijd goed verlicht is, niet overdreven hel, maar ook niet te donker. Zowel het kantoor van de hoofddirecteur als de directiekamer kan worden versterkt doordat ze regelmatig van vorm zijn, vrij zijn van vierkante zuilen en uitstekende hoeken en dat er deuren voor alle open kasten zijn gemaakt. Boekenkasten en andere dingen die naar buiten uitsteken vertegenwoordigen giftige pijlen en dienen idealiter te worden bedekt.

Het is ook nuttig op te merken dat de gunstigste kamer van

elke kantooretage zich schuin tegenover de ingang tot die etage bevindt. Gewoonlijk geldt dat hoe dieper een kamer zich in het gebouw bevindt, des te beter het feng shui ervan is.

Appendix II

De kua-formule

Als u wilt slagen in het bedrijfsleven, raad ik u sterk aan om de 'kua-formule' te gebruiken om uw persoonlijke geluksplekken en -richtingen vast te stellen. Bereken uw 'kua-getal' door de onderstaande formule te volgen en zoek dan in de tabel uw gunstigste hoeken en richtingen op. Merk op dat het uw gelukkige *plekken* zijn – de voor u gelukkigste plaatsen in onverschillig welke kamer, woning of kantoor. Zitten, slapen of werken op een van deze vier specifieke plekken zal u over het algemeen geluk brengen en u tegen ongeluk beschermen.

Uw kua-getal bepalen

Gebruik de maankalender van uw geboortejaar (raadpleeg een maankalender). Tel de laatste twee cijfers op. Blijf optellen tot u een enkel cijfer krijgt. Vervolgens:

- trekt u voor mannen dit getal af van 10. De uitkomst is uw kua-getal;
- telt u voor vrouwen er 5 bij op. De uitkomst is uw kuagetal.

Als u twee getallen krijgt, blijf dan optellen tot u er nog maar één hebt, bijvoorbeeld als u het getal 10 krijgt, 1+0=1; en als u 14 krijgt, 1+4=5. Zoek in de tabel op de volgende bladzijde uw gunstige plekken op.

Uw kua-getal	Uw gunstige hoeken & plekken in aflopende volgorde van geluk	Geeft aan of u een *oost-* of *west-* mens bent
1	zuidoosten, oosten, zuiden, noorden	oosten
2	noordoosten, westen, noordwesten, zuidwesten	westen
3	zuiden, noorden, zuidoosten, oosten	oosten
4	noorden, zuiden, oosten, zuidoosten	oosten
5	*Mannen:* noordoosten, westen, noordwesten, zuidwesten *Vrouwen:* zuidwesten, noordwesten, westen, noordoosten	westen
6	westen, noordoosten, zuidwesten, noordwesten	westen
7	noordwesten, zuidwesten, noordoosten, westen	westen
8	zuidwesten, noordwesten, westen, noordoosten	westen
9	oosten, zuidoosten, noorden, zuiden	oosten

Lillian Too's website

Welkom in Lillian Too's wereld op worldwide web. Bezoek haar website: www.lillian-too.com en e-mail haar als u opheldering wilt over een of ander aspect van dit boek of van feng shui-gebruiken.

Lillian Too heeft ook een website op www.worldoffengshui.com met nieuws over de jongste ontwikkelingen op feng shui-gebied.